文春文庫

幽霊終着駅（ターミナル）

赤川次郎

文藝春秋

幽霊終着駅（ターミナル）　目次

幽霊終着駅（ターミナル）

袋小路を照らせ

1　ある少女の死

到底間に合わない。

分ってはいたが、だからといって諦めることはできない。

私は必死で走った。――四十歳の身に、上り坂の道は辛かったが、そんなことは言っていられない。

この坂道の行き着く先は、いつもなら大勢の観光客でにぎわう展望台だ。しかし、この凍りつくような寒さの雨の中、今、人の姿はなかった。

たった一人。――紺のブレザーとスカートの制服姿の少女を除いては。

「やめるんだ！」

精一杯叫んだが、息が切れているので、思ったほどの声が出ない。

少女は、高い崖の縁、手すりのそばに立って、遠く雨にかすむ風景を見やっていた。

もう少し。——あと少しだ。

もしかすると間に合うかもしれない！

足が上らなくなるのを、何とか励まして、坂道を上る。

やった！　上り切った！

喘(あえ)ぎながら、私は少女の方へと、ヨロヨロと進んで行った。少女までは三十メートルほど。

少女は私のことなど全く気付いていないかのようだったが、あと十メートルという所まで近付いたとき、クルッと私の方を振り向いて、

「警部さん」

と、はっきりした声で言った。「私がやったの。私が殺したの」

次の瞬間、少女の体は手すりを越えて、その向うの——数十メートルの遥(はる)か下へと落ちて行った。

「やめろ！」

もうむだだと分っていても、私は叫んだ。叫ばないではいられなかった。

「やめろ！　そんなことは……」

手すりまで辿(たど)り着いたとき、私はまだ叫んでいた。

「やめてくれ！」

ハッと目を開くと、心配そうにこっちを覗き込んでいる永井夕子の顔があった。

「大丈夫？」

「ああ……。すまん」

私は胸苦しさに、何度も息をついた。

夢の中で走ったのが、本当に心臓を追い詰めているかのようで……。

「今……何時だ？」

と、私は訊いた。

「夜中の三時よ。──汗かいてるわね。お風呂に入ってくる？」

そういえば、ここは温泉だった。夕子と二人で、こんな所に来ているのは、呑気な休暇かと思われそうだが……。

「そうだな……」

私は、起き上って、「このままじゃ、風邪ひきそうだ」

それくらい、ひどい汗をかいていたのである。

「一緒に行ってあげようか」

と、夕子は言った。「私、男湯には入れないけどね」

「大丈夫だよ。ザッと汗を流すだけで、すぐ戻る」

私は布団を出ると、浴衣(ゆかた)のずれたのを直して、まだ少し湿っているタオルを手に部屋を出た。

山の中の温泉旅館。廊下へ出ると、冷蔵庫の中みたいに寒い。

深夜三時では、人もいない。

私は足早に大浴場へ向った。

——あの出来事から二週間。私がいつまでもふさぎ込んでいるので、心配した捜査一課長が、

「少し休みを取って、温泉にでも行って来たらどうだ」

と言い出したのである。

至って素直な私——警視庁捜査一課の警部である宇野喬一(うのきょういち)は、言われた通り、休みを取って、こうして温泉へやって来た。

恋人の大学生、永井夕子がついて来たのは、もちろん夕子の勝手であって、私がついて来てくれと頼んだわけではない。

もっとも、夕子に言わせれば、

「ついて来てほしい、って顔してたわよ」

ということになるかもしれないが。

高級旅館というわけではないが、二十四時間、いつでも温泉に入れるのはありがたい。

古くて黒光りしている床を、ミシミシ鳴らしながら大浴場へ着くと〈男湯〉ののれんをくぐった。

しかし、驚いたことに、こんな夜中に入りに来たのは私だけではなかったのだ。

脱衣場のカゴに浴衣が入っていて、ガラス扉の向うでは、お湯を流す音がしていた。

どうせ長く入る気はない。さっさと入って、汗を流して出ようと思いつつ、ガラス扉をガラッと開けた。

「あら」

という声は――明らかに女性のものだった。

一瞬、私は間違えて女湯へ入ってしまったのかと思ったが、そんなわけはない。

「こんな時間に……」

と言ったのは、中年の男だった。「まさか誰か来るとはね」

男の方は少しも焦(あせ)る様子がない。そして、一緒にお湯に浸(つか)っていたのは、どう見てもまだ十代としか思えない女の子だった。

「だから、やめようって言ったのに」

と、女の子が言うと、

「なあに、こんな時間に入りに来るのは、俺たちと同じで、彼女相手に汗をかいたからだ」

と、男は笑って、「そうだろ、あんた?」

私は相手にせず、広い湯舟の端の方にザブッと身を沈めた。

もちろん、湯気の立ちこめる中、その二人の顔ははっきりとは見えていなかったが——。

「私、もう出るわ」

と、女の子が言った。「眠いもの。朝、起きられないと困るし」

「そうか? まあいい。じゃ、出るか」

二人は少し前から入っていたのだろう、湯から上った女の子の肌は充分にほてっているように見えた。

——どう見ても、夫婦や親子ではない。

やれやれ……。

あんな若い子を連れて温泉か……。

「俺は違うぞ」

何も言われていなかったが、私は思わずそう呟いていた。少なくとも、夕子は二十歳を過ぎた大人。私も男やもめの独身である。

そして、ふと……。

私は首をかしげた。——今の女の子の声やしゃべり方に、どこか聞き憶えがある気がしたのだ。

どこで聞いたのだったか……。

まあ、あんな年齢の女の子の話し方など、似通ったものかもしれないが……。

私も、長く浸ったら、また汗をかいてしまうので、早々に上ることにした。

扉を開けて、脱衣場に出ると、置いてある新しいタオルで体を拭いた。

そして、脱衣カゴから脱いだものを取り出すと——。

「何だ？」

何か、紙片が床へ落ちたのである。

何だろう？　私はそれを拾い上げた。走り書きのメモのようだった……。

〈杏は人を殺してなんかいません！〉

杏？　杏だって？

それは間違いなく、私の目の前で展望台から飛び下りて死んだ、貫井杏のことだろう。

では今の女の子は……。

「——そうか！」

思い出した。あの捜査の中で話を聞いた、女子高校生の一人だ。

それで話し声に聞き憶えがあった。しかし、あの湯気の中、私のことを見分けたのは、あの事件について、何か係りがあったからだろう。

名前は……。弥生。そう、砂川弥生といった。

貫井杏は「私が殺した」と言って、身を投げた。しかし――それが事実だったのかどうか、私も確信が持てずにいた。

私は急いで浴衣を着ると、部屋へと戻って行った。

あの少女に話を聞かねば。一緒にいたのが誰でもいい。ともかく、あの子が何を知っているのか、聞き出さなければ。

――私は、すっかり目が覚めてしまっていた。

2 審判

それはスキャンダルになる要素を充分にはらんでいた。

私がそのホテルに着いたとき、なぜか私より早く、TV局の車が停っていて、カメラマンがホテルの外観を撮っていた。

女性リポーターが、マイクを手に、

「このホテルで、ある名門私立高校の生徒が殺されたという情報が寄せられました!」

と、いささか上ずった声になっている。

私がホテルへ入って行こうとすると、

「あ！　今、警視庁捜査一課の宇野警部が現場に到着しました！」

たまたま顔見知りのリポーターだった。

私の方へ駆けつけてくると、

「宇野さん！　犯人の見当は？」

と訊いてくる。

「今着いたばかりで、犯人も何もないよ。しかし、どうしてこんなに早く？」

私が訊いても、リポーターは答えず、

「事件は果してどういう結着を見せるのでしょうか！」

と、ドラマのナレーターみたいにしゃべっていた。

「――宇野さん」

現場の部屋はドアが開いていて、原田刑事の大きな体がのっそりと出て来た。

「原田、どうしてTV局がいるんだ？」

「さあ。俺が着いたとき、ほとんど同時にやって来たんです」

「どこで聞きつけたんだ？　――まあいい。殺されたのは女の子だって？」

「若いです。見たところ十七、八じゃないですかね」

――部屋の中は、明るい水色で統一されて洒落た作りだった。

今はラブホテルと呼ばず、ファッションホテルとか、意味の分らない名前がついているようだ。以前のような、人目を忍ぶ暗いイメージはなくなったが、男と女の間がそんなに変るわけもない。

現場はバスルームの中だった。たぶん二人で入るようになっている、大きなバスタブに、若い娘が裸で倒れていた。

「心臓をひと突きか……。出血がないな」

傷口ははっきり分るのに、血がほとんど流れていない。

「シャワーが出っ放しになっていたそうです」

と、原田が言った。

「それで洗い流されたのか。——発見したのは？」

「部屋係です。ここへ呼びますか」

「ああ、部屋の方で話を聞く」

広い幅のベッドの上には、バスローブが脱ぎ捨ててあった。——もう一つはバスルームのフックに掛けてあったから、これは男のものだろう。

私はクローゼットを開けた。

ハンガーに、高校生のものらしいブレザーとスカート。あのリポーターが、「名門私立高校の生徒」と言っていたのは、このブレザーの制服のせいか。

「どこの制服か分るか？」

と、私は原田に訊いた。

「そういうことは詳しくなくて……」

「調べれば分るだろう。――待て」

このホテルの部屋係という若い男がやって来た。まだ二十歳そこそこだろう。

「――松尾一郎です。ここでアルバイトしてます。――ええ、大学生です。M大で」

何だか頼りなげで、落ちつかない。右手はポケットの中に入れたままだ。

私はふと思い付いて、

「何を持ってるんだ？」

「え？」

「右手さ。ポケットの中に……」

「あ……。別に」

と、右手を出してみせる。「ほら、何も」

「ちゃんと出せ。隠すことがあるのか？」

松尾はポケットからスマホを取り出した。

「そうか」

私は思い当って、「ここで女の子の死体を見付けて、君は一一〇番すると同時に、TV局へ知らせたんだな？」

「あの……」

図星だったらしく、あわてて目を伏せる。

「TV局に、現場の写真を撮って送った。違うか？」

「確かに。そうですけど、別に違法じゃないでしょ」

と、口を尖らす。

「クローゼットの中も撮ったのか」

「あ……その……」

と、口ごもって、「撮りましたけど、戸が開いてたんで」

「じゃ、開いてたのを閉めたのか？　殺人現場を勝手にいじっちゃいけないだろ」

少しきつい調子で言ってやると、

「ごめんなさい」

と、ペコンと頭を下げて、「閉ってたのを開けて撮ったんです」

「そうか、じゃ、あの制服を撮って――」

「TV局に送りました。だって、あれ、M女子学園のですよ」

「よく知ってるな」

「えり元に白いラインが入ってるんで、目立つんです」

こういうことには詳しいのだ！

「シャワーの水を止めたのも君か」

「はあ」

「で、どうしてこの部屋へ入ったんだ？」

「受付に電話があったんです。『３０２号室で女が死んでる』って」

「その電話は――」

「男の声でした。それだけ言って切っちゃったんで、僕、見に来たんです」

「そうか。――ここへ入った客のことは憶えてるか？」

「こういうホテルは、みんな顔見せないようにして入りますよ」

「それでも、服装とか……」

「受付、無人ですから。僕は奥の方に待機してるだけで」

　これでは得るところがなさそうだ。

「宇野さん、ＴＶの方、どうします？」

　と、原田が訊いた。

「そうだな。Ｍ女子学園の制服だとしても、着ていた子が本当にそこの生徒かどうか分らない。早まった報道をしないように言っといてくれ」

　すると、聞いていた松尾が、

「あ、本当にＭ女子の子ですよ」

と言った。

「どうして分る？」

「いえ、その……たぶんそうかと……」

しまった、という顔をしている。

「おい。もしかして、女の子の鞄の中を見たのか？　そうなんだな？」

「あ、ちょっと、その……学生証を」

「それも撮ってTV局へ？　全く！　呆れた奴だ」

「でも、そこまでやると、謝礼も弾んでくれるんで」

もはや、何を言う気も失せた。

神山あずさ。——それが被害者の名前だった。

M女子学園の高校二年生。

身許が知れると、たちまち学校名もネットに流れ、ニュース番組では大騒ぎになった。

「——宇野さん」

その喫茶店で待っていたのは、地味なスーツ姿の女性で、「ごめんなさい、こんな所に」

「いや……。大変だろうね」

私は席について、コーヒーを頼むと、「君は神山あずさのことを――」

「私が担任しているクラスの子だったの」

と、竹中洋子(たけなかようこ)は言った。

私の高校のころの同級生で、五年前からＭ女子学園の教師をしている。

「何か話があるって……」

「うちの生徒がああいうホテルで殺されたのは事実だから、それはどう言われても仕方ないわ」

と、竹中洋子は言った。

「しかし、被害者だからね。彼女が人を殺したわけじゃない」

「そう言ってもらえると……。ご両親も、ずいぶんひどい言われようを……」

「ありがちなことだがね」

「毎日、学校の前で生徒を待ち構えてるの、ＴＶの人たちが。あれだけでも何とか……」

「できれば役に立ちたいがね。学校の外でのことは、取締るわけにいかないよ」

「それはそうよね」

と、洋子は肯(うなず)いた。

「あの子は、何か目立ったところが？」

「とても真面目な子だった。本当よ。亡くなったから言うんじゃないの」

「そうか。教師だって、一人一人の生徒のことを、二十四時間、監視してるわけじゃないからね」

「それで……」

と、洋子がためらって、「こんなこと……言いたくないんだけど……」

「何でも話してくれ。事件と関係ないことなら、決して口外しない」

「ありがとう……。実は、あの子、歴史研究部っていうところに入っていて、クラブ活動も熱心だったの」

と、洋子は思い切ったように言った。

「それで？」

「たぶん……いずれ、あなたの耳にも入ると思うけど、そのクラブの顧問をしていたのがうちの大学の教授で、貫井春男さんという……。大学の女の子たちにも、とても人気のある先生なの。今……四十八だったかしら」

洋子の口調で、私にも何となく察しがついた。

「その貫井教授が、神山あずさ君と……」

洋子はため息をついて、

「単なる噂ならいいんだけど……。以前にも、貫井教授は大学の教え子と問題を――」

と、洋子が言いかけたときだった。

　私たちのテーブルの隣、洋子と背中合せの席に座っていた女の子がパッと立ち上って、

「嘘つき！」

と、洋子に向って言ったのである。

　びっくりして振り向いた洋子は、

「まあ！　貫井さん！」

　貫井か。――ではその教授の娘が、M女子の高校に通っているのだろう。

「父のこと、そんな風に言うなんて」

と、少女は傍に立って、「刑事さん？　竹中先生の知り合いなのね」

「君は――」

「今、この先生に『怪しい』って言われた、貫井春男の娘の杏です。同じM女子学園高校の二年生で、神山あずさとも仲良しでした」

「貫井さん、やめて。私は何もお父さんのことを――」

「父は人を殺したりしません」

と、貫井杏は言った。「それより、竹中先生です」

「私が何だと言うの？」

「竹中先生は父と付合ってたことがあるんです」

「そんな……。嘘よ！」

洋子の顔は真赤になった。

「本当です。竹中先生、あずさに嫉妬してるんです！」

洋子の反応は、その少女の言葉が全くの嘘ではないと告げていた……。

3　秘密の話

どこから話が洩れたのだろう。

私は、もしかすると、と思った。

「あのとき、喫茶店に誰かがいたのかもしれない」

私の言葉に、夕子は肯いて、

「事実かどうか、確かめもしないで、すぐネットに流す人がいるからね」

と言った。

「困ったよ」

と、私は首を振った。

車は、M女子学園へと向っていて、あと十分ほどで到着、とカーナビが告げていた。

「――あの門だわ」

と、夕子が言った。

赤レンガの正門を入る。

校舎の前に、竹中洋子が待っていた。

「――どうも」

と、洋子は頭を下げた。

「君……大丈夫か？」

私は心配になって訊いた。

洋子の顔は紙のように真白だった。

「意味によるわね」

と、洋子は言った。「生きてはいるけど、学校はクビになった」

「そうか……」

「自発的に辞表を出した、ってことになってるけど」

ネットで、神山あずさが殺された件について、貫井春男を巡って、あずさと教師の竹中洋子が奪い合っていた、というニュースが流れていたのだ。

「貫井先生も、ご自宅にいられなくて」

と、洋子は言った。「学園の中に泊っているの」

私は夕子と二人、洋子について、M女子学園の建物へと入って行った。

「――私立は、遠くから通う子もいるので、地震などのときは、帰宅するより学内に泊った方が安全だということなの。で、宿泊施設がある」

校舎を抜けて、渡り廊下を行くと、別棟があった。

「普段は、クラブ活動で使うんだけど、今は……」

洋子が、入口の戸をガラッと開けて、私たちを中へ入れる。

少し広いが、机と椅子だけの殺風景な部屋があった。

そこに、貫井の一家が集まっていたのだ。

「貫井春男です」

こんな状況だが、確かに女性の目をひくに違いないと思える、スマートな紳士だった。

「妻の咲子です。そして、娘の杏はお会いになっていますね。それからこれは息子の徹治。中学三年生です」

色白で、いかにも秀才という印象の子だった。

「主人がご迷惑を……」

と、咲子が言った。

「やめてくれ」

と、貫井が顔をしかめて、「僕は何もやってない」

「そうは思ってるけど……」

妻の咲子は疲れた様子だった。「こんなことになるなんて……」

「避難して来たんです」

と、杏が言った。「家に取材の人が押しかけて来て」

「仕方ないよ」

と、弟の徹治が言った。「あの人たちだって、仕事なんだから」

「あんたはいつもクールね」

と、杏が苦笑した。「早く犯人を捕まえて下さい」

「努力してるよ」

と、私は言った。「少し伺いたいことが」

「待って下さい」

と、貫井が言った。「徹治、お前は別の部屋へ行ってなさい」

「どうして？　何を聞いたって、大丈夫だよ」

「お前は勉強があるだろ」

「じゃあ……」

徹治は立ち上ると、「失礼します」

と、私の方へ一礼して出て行った。

「落ちついてるんですね」

と、夕子は言った。「私、永井夕子です」

「竹中先生から聞いたわ」

と、杏が言った。「素人探偵ですってね」

「一銭にもならないけど」

と、夕子が言った。

「貫井さん。――ネットでの中傷については、こちらも困っています。早く解決したいのですが、そのためにご協力を」

「もちろんです」

と、貫井は穏やかに言った。

「私は失礼して……」

と、竹中洋子は会釈して出て行った。

その後、少し微妙な空気が流れた。

「殺された神山あずさ君のことですが」

と、私が口を開くと、

「神山君とよく会っていたことは事実です」

と、貫井が言った。「ただ、それはあくまで歴史研究部の顧問としてのことで、彼女と特別の仲だったわけではありません」

むきにもならず、淡々とした語り口は、却って不自然にも見えた。

「用心してと言ったじゃないの」

と、妻の咲子が少し苛立(いらだ)った口調で、

「今の女の子は怖いのよ」

「私も？」

と、杏が言った。

「うちの子たちは別よ」

「そう思ってるのは、お母さんだけかもしれないよ」

杏がからかうように言った。

「あの日、神山君がホテルに入ったのは、夜十時ごろということです」

と、私は言った。「失礼ですが、そのころ貫井さんはどこに……」

「大学の研究室にいました」

と、貫井は答えた。「しかし、一人で古文書(こもんじょ)を読んでいたので、アリバイを立証してくれる者はいないのですが」

私は杏の方へ、

「杏君は、神山君が付合っている男のことを何か聞いてなかったかな？」

「分らないわ」

と、杏は首を振って、「今どきの十六歳は、その当人でもよく分らない。ちゃんと勉強して、テストの点も良くて、それでも中年のおじさまの相手をして、おこづかいを稼

ぐ子がいる」

「神山君もそうだったと？」

「それは分らないけど……。そうだったとしても、驚かない」

「ひどい世の中ね」

と、咲子が嘆いた。

夕子が、

「徹治君は、どこの学校に？」

と訊いた。

「あの子は区立の中学に通っています」

と、貫井は、むしろ誇らしげに、「常に学年トップでいるのが楽しいようで」

「私には想像もつかないですね」

と、私は言った。

「あの子は東大へ行くことにしているんです」

と、咲子は言った。「ですから、公立校に通っている方が」

東大ね……。人生が大学で決るわけではないと思うが。

東大に縁のない人間の負け惜しみだろうか……。

「明日、徹治は大切な試験がありまして」

と、貫井は言った。「あの子に何かお訊きになりたければ、その試験が終ってからにしていただけると」

「いや、もちろん、特に訊くことはありません。むしろ……」

と、ちょっと言い淀むと、

「竹中君のことですね」

「竹中洋子さんとは……」

「まあ……こんな言い方をすると、高慢と思われるでしょうが、竹中君が私に恋していたのは事実です。いや、今でも恋しているのかもしれない」

「それは確かですよ」

と、夕子が言った。「見ていれば分ります」

「そうですかね」

貫井は苦笑して、「よく、女性にもてると言われても、本当のところ、女性の心の中は分りません」

「ではどうして――」

「もちろん、竹中君の方から言い寄って来たのです。手紙は家内の目に触れると思ったのでしょう。メールや研究室の留守電で色々と言って来て」

「竹中さんにもアリバイがないようです」

と、私は言った。「しかし、神山君を殺すほどの動機が……」

「もちろんです。竹中君は、そんな人ではありません」

と、貫井は言った。「竹中君は、徹治の家庭教師としてうちに来ていました。彼女のおかげもあって、あの子は——」

そのとき、どこかで悲鳴が上った。

一瞬、私も動けなかった。こんな所で、なぜ？

「何かあったんだわ」

夕子が素早く立ち上った。

私は夕子に続いて、その建物を出た。

渡り廊下を駆けて来たのは、この学園の受付の女性で、

「大変です！」

と、声を上ずらせて、「竹中先生が——」

「どうしたんですか？」

と、私が訊くと、

「あの——血まみれになって……」

私は夕子と顔を見合せた。

「どこですか！」

「こっちです。——空いていた教室で」

　校舎の中を急いで、私たちは教室の一つに入って行った。

　床に竹中洋子が倒れていた。血だまりができている。

「手首を切ったな」

　私は駆け寄って、胸に耳を付けた。「生きてる！　早く救急車を！」

　かなりの出血だったが、私は彼女の腕を縛って出血を止めると、

「——どういうことだ」

　と、息をついた。

「犯行を認めたということ？」

　と、夕子は言った。

　そうなのだろうか？　確かに、他に理由が思い当らないが。

　——そして、竹中洋子は一命を取り止めたものの、なぜ自殺を図ったのか、語らなかった。

　そして、私に一本の電話がかかって来たのである。

「——宇野さん？」

「君は——杏君だな」

「そう。今、私、崖の上にいるの」

「何だって?」

「いつもTVの刑事ものって、犯人が崖の上で自白するでしょ」

「自白って――」

「ここへ来て。私が飛び下りる前に」

と、杏は言った。

いつもの、おっとりした口調だった。

私は、杏の冗談かと思った。

しかし、そのすぐ後に、貫井咲子から、

「杏が、〈私が殺した〉というメモを置いて、いなくなったんです!」

という電話が入ったのだ。

私は、杏の言った「崖の上」へと急いだ。しかし――杏は、

「私が殺したの」

という言葉を残して、飛び下りたのだった……。

4　期待

夜中だろうが何だろうが、じっとしてはいられなかった。

旅館の人間を叩き起こして、あの少女——砂川弥生の部屋を訊き出すと、私はその部屋のドアを、何度も叩いた。

「——何だというんだ！」

怒って出て来たのは、さっき温泉に入っていた男で、「人が寝ているところを——」

「未成年の女の子と？」

私は警察手帳を見せた。たちまち相手は真青になって、

「いや、この子は……ちょっと親類の子を預かって……」

「目をつぶってもいいです。あの子に話を聞きたい」

「分った！」

——十分後には、旅館のロビーで、砂川弥生が私たちと向い合っていた。

そして、同行していた男は、彼女と別の部屋に一人で移っていた……。

「弥生君だったね」

「ええ。——杏と仲良かったんです」

「しかし、どうしてこんなことを？」

「いい子だって思われるのが息苦しくて」

と、弥生は言った。「お金とか、そんなことじゃないんです」

「でも、杏さんは——」

と、夕子が言った。「あの子はやっぱり、こういうことを?」

「いいえ。杏はしっかり自分を持ってる子でした。でも、私のすることに、とやかくは言わなかった」

「それは……」

「お父さんのしていたことを、知ってたから」

「貫井さんは、やっぱり神山あずさ君と……」

「もちろんです！　みんな知ってた。竹中先生が嫉妬していたことも」

と、弥生は息をついて、「でも、杏はお父さんのことが好きだったんです。何とかお父さんをかばおうとして……」

夕子は少し考えていたが、

「杏さんが、自分が殺したと言ったのは……」

「つまり、本当は父親が神山君を殺したと知っていたということか」

と、私は言った。「だが、娘が自分の代りに死ぬのを黙って見ていたというのか?」

私には信じられなかった。

「そうじゃなかったと思うわ」

と、夕子は言った。「貫井教授は、杏さんがやったと信じようとしたのよ」

「何だって?」

私は夕子を見つめた。

「あの子は……」

と、弥生は言った。「杏は、守ろうとしたんです。父親の夢を」

M女子学園の廊下は冷え冷えとしていた。

放課後の校舎は静かだった。

本を二、三冊抱えて、貫井教授がやって来ると――私と夕子に気付いて立ち止った。

「これはどうも……」

と、貫井は小さく会釈して、「色々ご迷惑を……」

「杏君のことは、残念でした」

と、私は言った。

「全く……。あの子がやったとは、今でも信じられないようです」

「神山あずささんを殺したのは、杏さんではありません」

と、夕子は言った。「あなたにも分っていたはずです」

「何のことです？　杏は自分がやったと言って――」

「杏さんは、あなたを絶望させたくなかったんです。あなたが夢を託していた、徹治君のことを守りたかった」

「どういう意味です?」

貫井は青ざめた。「まさか——」

「いつもクールな子ですね」

と、私は言った。「私が訊くと、徹治君はあっさり認めましたよ、神山あずさ君を殺したと」

「馬鹿な!」

と、貫井は声を震わせて、「あの子に無理に言わせたんだ! あの子を脅したんだな!」

「いいえ」

と、夕子は首を振って、「徹治君は、あなたがホテルを出た後、神山さんが一人でいるところへ行って、そして——」

「あの子は中学生だぞ! たとえ……たとえそんなことがあっても、神山あずさが悪かったんだ!」

「そうですね。神山さんは面白がって相手をしたのかもしれない。でも、徹治君は、そんなことがあったと人に知られるのが怖くなったんでしょう。優秀な、理想的な子という自分でも信じていたイメージが台なしにされると……」

「あの子のせいじゃない!」

と、貫井は叫ぶように言った。「あずさが――徹治のことをもてあそんだんだ」

「たとえそうでも、杏さんが弟の代りに罪を引き受けるのを、あなたは黙って見ていた。それが赦せません」

と、夕子は言った。「あのとき、あなたが真実を告白すべきだったのに」

貫井は額に汗を浮かべて、

「徹治には――輝かしい将来があるんだ！　それをあんな女の子のために……」

「その期待が、徹治君を袋小路へ追い込んだんですよ」

と、私は言った。「杏君にも、将来があったのに……」

貫井は口をつぐんで、立ち尽くしていた。

女子生徒が一人、小走りに通りかかって、

「貫井先生、この間出した手紙の返事、下さいね！」

雪女の従妹（いとこ）

1　白い記憶

「やれやれ……」

私はため息をついた。「まさかこんな大雪になるとはね」

「それも旅の面白いところでしょ」

と、いとも呑気（のんき）に言ったのは、旅の道連れ、女子大生の永井夕子である。

「それはそうだが……」

「こんな田舎の駅で一夜を明かすのも、結構風流だわ」

そりゃあ、若い夕子なら、駅の待合室の、固い木のベンチで寝ても、どうってことはないかもしれない。しかし、こっちはもう四十男、冷えると、もろに腰や膝にこたえる年齢なのである。

山間（やまあい）のローカル線は、この先の雪崩（なだれ）で線路がふさがれてしまい、我々の乗った列車はこの小さな駅で停車せざるを得なくなったのである。

車掌の話では、

「雪は峠を越しましたし、雪崩といっても、そう大したことはないようなので、明日、晴れたらすぐ雪をどけられると思いますが……」

ということだった。「今夜一晩、辛抱して下さい」

雪に文句を言っても仕方ない。

しかし、暮れも押し迫ったこの時期、列車にはそう大勢の乗客がいたわけではなかった。

今は無人駅の待合室に集まった乗客は、私、宇野喬一と永井夕子を入れても八人。私たち以外はみんなそれぞれ一人ずつの客のようだった。

「古いストーブがあるので、今、石炭をくべて、暖かくします」

と、車掌が言った。

きっと、こんなことがちょくちょくあるのだろう。懐しいダルマストーブに火が入り、やがて待合室は暖かくなって来た。

すると——もう一人、若い女性がボストンバッグをさげて、待合室に入って来たのである。

「眠ってしまっていて、列車が停ったことに気付かなかったので」

と、その女性は少し恥ずかしそうに言って、私と夕子の隣に腰をおろした。

色白な、ふっと目をひかれる美人である。二十七、八というところか。

背筋を真直ぐに伸して座っているところは、モデルか何かかと思わせた。コートも洒落(しゃれ)ている。

表に出て、ケータイで話していた車掌が待合室に入って来ると、

「ここは駅前に何もないので」

と言った。

確かに、どうしてここに駅があるのか、ふしぎなくらいである。駅前には数軒の廃屋が並んでいるだけ。

「車で十分ほどの所にお住いの方がおりまして」

と、車掌が続けて、「前にもお世話になっているのですが、電話したら、冷凍の肉まんなどを温めて持って来てくれるそうです。まあ、差し当りそれで……」

幸い、この列車の乗客には、むやみに苦情を言ったり文句をつけたりする者はいなかった。

しばらくすると、あの女性がスッと立って待合室を出て行った。手洗いにでも行ったのかと思ったが、見ていると雪の降る駅前に出て、じっと立っている。

「――何だか、いわくありげな人ね」

と、夕子が言った。

「あの女性かい？　そうだな」

「ちょっと気になるの」

「何が？」

夕子が答える前に、駅前へ車が一台、やって来た。

車掌が出て行って、車からいくつもの紙袋をさげて来る。

「温かいミソ汁と肉まんです。よろしければどうぞ」

「いただきましょう」

夕子が真先に立ち上り、紙コップにミソ汁を入れて客に配るのを手伝った。

夜も少し遅くなって、みんなお腹が空いていたのだろう、アッという間に肉まんも消えてしまった。

「――こちら、金原さんです」

と、車掌が紹介したのは、分厚いジャンパーを着た男性だった。

「災難ですね」

と、その男は言った。「しかし、もう雪も小降りになっていますから」

「あの――」

と、夕子が言った。「もう一人、女の方がいるんですけど」

「そうだった！」

と、車掌が言った。「肉まん、一つ残ってると思って、食べちまった」

そのとき、私はアッと驚きから立ち直って、

「金原じゃないか！」

と言った。

「え？」

「宇野だよ。宇野喬一」

金原が目を丸くして、

「ああ！　――びっくりした！」

「こっちもだ。こんな所で……」

夕子が、

「どういうお知り合い？」

と訊く。

「昔の同僚さ」

と、私は言った。

「じゃあ……」

そう、金原三郎は、かつて同じ警視庁捜査一課にいた刑事だったのだ。

私より四、五歳年上のはずだ。

夕子を紹介して、

「いつからこっちに住んでるんだ?」

と、私は訊いた。

「あれからさ」

と、金原は言って、「そういえば、えらく若い彼女がいるって、誰かから聞いたな」

そのとき、どこにいたのか、あの女性が待合室に入って来た。

「ああ、いい匂い」

と、彼女は言った。

「いや、すみません!」

と、車掌が恐縮して、「おいでなのをうっかり忘れて、肉まん、食べちまいました」

「いいんです。私、別にお腹空いてませんから」

と、彼女は言ったが——。

今度は金原が、その女性を呆然として眺めていた。

「おい金原……」

「あなたは?」

と、金原は私が声をかけたことなど、まるで気付かない様子で、その女性へ、「どういう方ですか？」

「私ですか？」

と、彼女は面食らったように、「私、東京でOLをしています。友枝充江といいますが……」

「友枝さん……。そうですか」

「おい、金原、どうしたんだ？」

と、私がくり返し声をかけると、

「いや、すまん」

と、金原は我に返ったように、「この人が俺の知っていた女性とそっくりだったんでな」

そして金原は、私と夕子に、

「なあ、どうせここで泊ることになってるんだろう？　それなら俺の所に来ないか。ゆっくり話もしたい」

「しかし……」

「急ぐのか、帰りを？」

「そういうわけじゃない。――じゃ、厄介になるか」

「そうしろよ。車で十分もあれば着く。明日、列車が動くようになったら、送ってやるよ」

「ありがとう」

夕子はチラッとあの女性の方へ目をやって、

「友枝さんも一緒にいかがですか？」

と言った。「肉まん、食べそこなったんですし」

そう。金原が本当に誘いたかったのは、友枝充江だったのだ。

「まあ……。それでは……」

彼女は少し迷っていたが、「じゃ、遠慮なく。ご迷惑では？」

「いや、構いませんとも！　じゃ、荷物は？　持ちましょう」

こうして、私と夕子、そして友枝充江の三人は、金原の車に乗り込んだのである。

——車で十分。

道はほぼ山の中で、やがて山小屋風の造りの建物が木々の間に見えて来た。

「立派ですね」

と、夕子が言った。

「元はペンションで、客を泊めるようになってたんだ」

と、金原は言った。「しかし持主が年齢(とし)をとって、やっていけなくなったのを買い取った。——今はあそこに一人暮しだ」

車がその前に着く。

「――あの待合室で寝ることを考えたら、ラッキーだね」

と、夕子は言った。

「ありがたいですわ」

と、友枝充江も微笑んで、「私、本当はお腹ぺこぺこなんですの」

2　過去

「客室も、泊れるようにして来たよ」

と、金原が広間に入って来た。

「ありがとう」

と、私は言った。

「各室に、大して広くないが風呂も付いてる。のんびりしてくれ」

いかにも山小屋風に、暖炉も造られている。もっとも、火は燃えていなかったが。

「お食事、ありがとうございました」

と言ったのは友枝充江だった。

セーターにジーンズという格好だと、ずっと若く見える。

「いやいや」

と、金原は照れくさそうに、「一人暮しなんで、電子レンジで温めるだけの冷凍食品を山ほど買い込んであるんですよ」

「今は、そういうものもおいしいのよね」

と、夕子が言った。

「コーヒーでもどうだ？」

と、金原が言った。

「お手伝いしますわ」

と、充江がついて行く。

私は夕子と顔を見合せた。

今は金原と彼女を二人にしておいた方が良さそうだ。

「――金原さんが刑事を辞めたのって、何か特別な事情があったの？」

と、夕子が訊いた。

「うん……。当人の前では言うなよ」

「もちろん」

「もう十年くらい前になる。金原と僕で、ある凶悪犯を追っていた。――壊れそうな空家に犯人を追い込んで、僕は正面、金原は裏口へ回った。もう夕方で、あたりは暗くなりかけていた。人影を見て、僕は『動くな！』と声をかけた。相手が撃って来て、僕は腕に負傷した」

「それで？」

「奴は空家の奥へと逃げた。僕は『裏へ行くぞ！』と怒鳴った。銃声がして……」

私はちょっと間を置いて、「二度、三度、銃声がした。あわてて奥へ入って行くと……」

少しためらってから、私は続けた。

「犯人が腹を撃たれて呻（うめ）いていた。そして――他に、女の子が倒れていたんだ」

「女の子？」

「その空家で、人形を相手に一人で遊んでいたらしい。金原は暗い中に動く人影を見て、撃った。足を狙うつもりで、下の方を狙ったんだが、それがちょうど女の子の胸に当ったんだ」

「まあ……」

「犯人が金原へ撃ち返して、金原は犯人を撃った。――結局、その男も死んだが、女の子を撃ってしまって、金原はそのショックでしばらく休んでしまった」

「仕方なかったわね」

「ああ。むろん、その子の親には詫びて、金原が責任を問われることはなかったんだが、その半年後、金原は辞表を出した」

「それ以来、ここに……」

「そう言ってたな。辞めてから、全く連絡が取れなくなっていたんだ」

「あの女の人のことを、びっくりして見てたわね」

「ああ……。誰かに似てたんだろうな」

——コーヒーが入って、私たち四人で、広間に寛いだ。

「金原さん」

と、友枝充江が言った。「私と似てた人って、どういう人ですか?」

「ああ……。いや、気を悪くされると困るんですがね」

「そんなこと……」

と、充江は言った。「もしかすると……」

「え?」

「いえ、はっきりはしませんが、その女の人って、もしかすると私の従姉かもしれません」

「従姉? では——」

「母の姉の子で、私より五歳年上でした。よく似ているので、一緒にいると、たいてい姉妹に間違えられました」

と、充江は言った。

充江の話によると、その従姉の名は松山(まつやま)ゆきえ。女子大を優秀な成績で出て、都内の一流企業に勤めた。

しかし、上司の妻子のある男性と恋愛関係になり、会社を辞めざるを得なくなった。同時に相手の男が保身に走り、彼女を脅したのに絶望し、姿を消してしまった。

「――方々手を尽くして捜しましたが、行方が知れません」

と、充江は言った。

「それはいつのことです?」

と、金原が訊いた。

充江の話を聞く内、金原の表情が変って来ていた。どこか思い詰めた様子だった。

「そうですね……。八年前です。そのとき、ゆきえさんは二十五歳でした」

「八年前……」

と、金原は呟(つぶや)いた。

「金原、お前、思い当ることがあるのか」

「ああ、――きっと、その人のことだ」

「ゆきえさんをご存知なんですか?」

と、充江が訊いた。

「彼女は——この家にいました。そう、七年余り前のことです」

「じゃあ……」

「でも、彼女は名のらなかった。——名前を訊いても、言わなかった」

金原は少し間を置いて、「——そう、まるで彼女は伝説の〈雪女〉のようだった……」

ここで迎える冬も、三度めだった。

初めの年は、こんなに雪深い土地だと思っていなかったので、ろくな備えがなく、危うく凍死するところだった。

何とかのり切って、次の冬からは、しっかり食物も燃料も用意するようにした。

車も、雪に強い車種に買い替えて、ときどきは車で遠くの町へも出かけるようにした。

雪に閉ざされる暮しも、慣れてくれれば、それなりに快適だった。

そして——その日は、一週間降り続いた雪が止んで、まぶしい冬の青空が広がっていた。

さすがに、日常の雑貨が足りなくなって、金原は車で町まで出ることにした。

家の前の雪かきに午前中いっぱいかかってしまい、昼ごろやっと出かけた。

町には、雑貨なら何でも揃うホームセンターがあり、食堂もあるので、遅い昼食をとって、車一杯に品物を積んで帰路についた。

そして、この家へと入る脇道の角を曲ろうとしたときだった。

白い雪の丘の中に、赤いものがチラッと目に入って、車を停めた。

何だろう？

あの「赤」は、服か毛布か……、ともかく、自然のものではない。

車を降りて、金原は脚の半分も埋ってしまう雪の中、苦労しながら歩いて行った。

近付くと――息を呑んだ。

それは赤いコートで、誰かが半ば雪に埋っていたのだ。

急いで駆けつけると、抱き起こした。

若い女だった。雪に上半身を突っ込むようにしていたので、死んでいるのかと思ったが、心臓は弱々しく打っていた。

病院はかなり遠い。

ともかく家に運ぶことにして、苦労して彼女を背負い、車へ戻った。

家に運び込んで、ヒーターの前で暖める。

――身許の分るものは一つも持っていなかった。

服を脱がせて、タオルで体をこすり、毛布やタオルケットでくるんだ。

次第に呼吸も深くなり、脈もしっかり打ち始めた。

それでも意識が戻るのに丸一日かかった。

どういう状況だったのだろう？
ともかく、ずっと起きているわけにもいかず、金原はその夜は寝室で寝た。
ところが——夢うつつの中、誰かがベッドの中へ入って来るのを感じた。
冷たい肌だった。
暗い中に浮かぶ抜けるように白い肌は、あの女のものだ。
「どうして……」
と、金原が言いかけると、
「寒いの……」
と、女は言って、身を寄せて来た。
驚いた。暗くて分らなかったのだが、女は裸だった。
そして、確かに冷え切っている。まるで血が通っていないかのように。
しかし、しっかりと金原の背中にくっついている内、彼女の体は徐々に暖まって来た
……。
そして——。
金原は咳払いして、
「ま、そういうことだ」

夕子がふき出すのをこらえている。

「さて、翌朝――ってやつですか」

目が覚めると、もう彼女はベッドにいなかった。

キッチンから音がしている。

起き出してみると、彼女がキッチンに立って、せっせと卵を割っていた。

「おはよう」

と、女性が金原に気付いて、明るく言った。

「もう大丈夫なのかい？」

「ええ」

「しかし……、まあいい。食事してからにしよう」

朝食を取りながら、金原は訊いた。

「君……名前は？」

すると、彼女はちょっと困ったように、

「言わなければいけませんか？」

「いや……、言いたくなければ、無理に訊こうとは思わないが」

「本当に失礼な話ですよね、命の恩人に、名前も言わないなんて……」

「人にはそれぞれ事情というものがあるさ」

と、金原は言った。

「それじゃ、雪に埋れて、危うく死ぬところでしたから、〈ゆき〉とでも？」

「まるで〈雪女〉になる。――〈雪子〉とか〈雪代〉とか……。〈雪乃〉ってどうだろう？」

「ああ、きれいな名ですね。好きだわ」

と、彼女は言って、「名前までいただいて、私……ここにしばらくご厄介になってもいいのかしら？」

「私もどうせ過去から逃げて来て、ここにいる」

と、金原は言った。「彼女もきっとそうなんだろう。私は、『好きなだけいてくれていいよ』と言った……」

3　悪夢

「ねえ……」

夕子が、暗い部屋の中で言った。

「うん……。起きてるのか？」

半ば眠りかけていた私は大きく息をついた。

夜、私と夕子は、金原の山小屋の二階の客室に泊っていた。

「部屋は別の方が？」

と、金原に訊かれて、夕子が、

「いえ、一緒でいいです」

と、アッサリ言ったときは少々照れたが、金原はちょっと笑って、友枝充江は、

「すてきなお二人ですね」

と、ニッコリ微笑んで言った。

「しかし、駅の待合室で寝てる他の客には申し訳ないな」

と、私は言った。「まさか、こんなホテルに泊れるとはね」

「それはそうだけど……」

夕子の口調は、どこか曖昧だった。

「何か引っかかることがあるのか？」

「金原さんの話。――仮に〈雪乃〉さんという名だとして、突然ここへやって来て、一年近くも暮した後、ある日急にいなくなった……」

「正に〈雪女〉みたいだな」

「でも、〈雪女〉は、男が約束を破ったから消えてしまったわけでしょ。本当なら男を取り殺すところを、子供たちのために生かしておいた……」

「そういう話だったな」

「金原さんは、雪乃さんとの、どういう約束を破ったのかしら？」

私はちょっと間を置いて、

「——何かあったはずだって言うのか？」

「分らないけど……。もう五年……六年近くも前のことでしょ」

「何があった、って言うんだ？」

「さあね」

夕子は首を振って、「寝ましょう……」

「ああ……」

しかし、何だか妙に目が冴えてしまって、私はなかなか寝つけなかった。

そして——。

「——おい」

私は夕子の肩を叩いた。「起きろよ」

さすがに若い夕子の眠りは深くて、すぐには目を覚まさなかったが、二、三度くり返し起すと、

「なあに？　――どうかした？」

と、ベッドに起き上った。

「いや、何の気なしに、窓から表を見たんだ。そうしたら……」

夕子が素早くベッドから出て、窓へと駆け寄る。

外は雪が止んで、月が出ていた。

月明りが雪に反射して、外はかなり明るい。そして、森の奥に、小さな明りがチラチラと動いているのが見えた。

「あれは……」

「金原だ」

と、私は言った。「ちょうど表を見たとき、金原が明りを手に、森の中に入って行くところだった」

夕子はちょっと黙っていたが、

「――他に何か持ってた？」

「うん。シャベルをね」

「行きましょう、私たちも」

と、夕子は言った。

急いで服を着ると、私と夕子は部屋を出て、階段を下りて行った。

雪の中を歩くとは思ってもみなかったので、靴をはいてもたちまち雪に埋ってしまうが、仕方ない。

雪の上に、金原の足跡がついている。——真直ぐ森へと向っていた。

「まさか……」

と、私は言った。「金原が〈雪乃〉さんを？」

「まだ三十代だった金原さんが、こんな雪深い所に引込んで、そこへ若くて美しい女性がやって来た。——彼女に夢中にならない方がどうかしているわ」

と、夕子は言った。

「つまり……〈雪女〉のように、彼女はここを出て行こうとしたのか」

「一年よ。——金原さんは、彼女が何者か知りたいという誘惑に駆られたに違いないわ」

「それで……」

「金原さんが誤って射殺した女の子は何ていう名前だった？」

「ええと……、確か、相沢だ。そう相沢マリといった。八歳だった」

と、私は言った。「まさか……」

「分らないけど……。〈雪乃〉さんがその子と何か係りがあるんだったとしたら？　金原さんを許せなくて、仕返ししようとしたのだったら……」

靴に雪が入って、足の先はしびれるように冷たかった。

「それなら、金原の方が殺されてるんじゃないのか？」

「金原さんに責任はないと分ってた。でも、苦しめてやりたい。――それには、女の魅力で、金原さんをとりこにする。そして突然姿を消す。金原さんにとっては何より辛いでしょう」

「だが――どうして今、森の中に行くんだ？」

「それは、この目で確かめるしかないわね」

と、夕子は言った。

しかし、二つはっきりしていることがあった。一つは、森に金原が何かを埋めていること。もう一つは、戻ろうとすれば、私と夕子が後を尾けて来たことが、雪の足跡で必ず知れるということだ。

明りは森のかなり奥で止っていた。

私と夕子は、森へ入ると、金原の足跡を辿るのをやめて、明りの見える場所の脇へ回るようにした。

それでも、近付いて行くと、ザッ、ザッと雪にシャベルが食い込む音と、激しい息づかいが静寂を通して聞こえて来た。

木の枝に引っかけたライトが照らす下で、金原が必死の形相で雪を掘っていた。

かき出した雪がはね上ってライトにキラリと光る。

おそらく間違いなく、金原はあの下に、何かを埋めているのだ。

まさか。――かつての同僚として、そんなひどいことにはなってほしくないが、そこに埋めてあるのはおそらく……。

私は息を殺して、その光景を見つめていた。

――金原の吐く息の白さが、空気中に渦巻く。

そのとき、突き刺したシャベルが、何かに当って、ガチッという音をたてた。

金原の手が止る。体を起して、金原は喘ぐように苦しげに息をついた。

そして、少し休むと再びシャベルを手に、雪の下の地面を掘り始めた。

夢中になって掘っている金原は、私たちに全く気付いていない。

やがてシャベルを投げ出すと、金原は膝をついて、自分の掘った穴に上半身を潜らせた。メリメリと音がして、打ちつけた板がはがれる音がした。

金原がよろけるように立ち上った。

そのとき、私たちとは反対側の木立の間から――友枝充江が姿を現わしたのだ。

金原が彼女に気付いて、立ちすくむ。

「――雪乃。君なのか？」

と、かすれた声で、「生きてたのか？」

「そんなわけがないでしょう」

と、充江が言った。「ゆきえさんは、あなたが殺したんだから」

「しかし……いない！　この箱の中に……」

「遺体は――といっても白骨化していたけど、もう掘り出して、警察へ届けてあります」

「何だって？」

「あなたがここを掘ったのは、あなた自身がゆきえさんを埋めた証拠です」

金原はよろけた。そして、ズボンのポケットから、拳銃を取り出したのである。

私は飛び出して、

「やめろ、金原！」

と叫んだ。

金原が振り向いて、

「宇野……。そうか、お前も俺のことを疑ってたんだな！」

「そうじゃない！　しかし、お前がその女性を殺したのなら、黙って見過すわけにいかない。その拳銃をこっちへよこせ」

「ごめんだ！　ちゃんと弾丸は出るんだ。誰が渡すもんか！」

汗にまみれた顔は、真青になっていた。

「ゆっくり話を聞く。――さあ、金原、落ちつけ」

「放っといてくれ！」

金原は充江の方を向いて、「雪乃……、君なんだな？　君は死んじゃいなかった。そして俺に会いに来てくれたんだろう」

「いいえ」

と、充江は首を振って、「あなたは、相沢マリちゃんを誤って射殺した。それはやむを得ないことだったとしても、ゆきえさんが相沢マリちゃんのご近所に住み、仲が良かったとは知るはずもなかった」

「雪乃は……」

「出て行こうとした彼女を殺したんだな」

と、私は言った。「何てことを！」

「うるさい！」

と、金原は叫んだ。「たった一人でここに暮していた俺にとって、雪乃はすべてだったんだ！」

「金原――」

「近寄るな！」

「さあ、拳銃をよこせ」

私は大股に金原へ近付いた。

金原が私に銃を向ける。――そのとき、石が飛んで来て、金原の額に当った。

金原がよろけて、

「誰だ！」

「狙いは確かよ」

と、夕子が言った。「人が来るわ。ここの警察でしょう」

「俺は……」

金原が、充江の方を見て、「本当に、君は雪乃じゃないのか」

と、念を押した。

そして、充江がゆっくり首を横に振ると、金原は力が抜けたように雪の上に膝をつき、

次いで、銃口をこめかみに当て、引金を引いた。

雪の中を駆けつけて来た数人の男たちが、倒れた金原を見て、足を止めた。

「危いことはやめて下さい、って言ったのに……」

と、充江に向って言ったのは——何とあの列車の車掌だった！

夕子が肯いて、

「そういうことだったのね」

と言った。

「太田さんは、松山ゆきえさんと高校の同級生だったんです」

と、充江は、太田という名の車掌を見て言った。「ゆきえさんが行方不明になって、しばらくして、この駅を列車で通りかかり、ちょうど駅へ来ていたゆきえさんをチラッと見かけたんです」

「そのとき、すぐ行動していれば……」

と、太田は悔しそうに言った。

「仕方ないわよ。ちょっと見かけたぐらいでは……。しばらくして、この駅の駅員だった人から、金原と、一緒に暮してる女性の話を聞いたのね」

「ここが無人駅になる前でね」

と、太田は肯いた。

——明るい青空が広がっていた。

私たちは駅で、列車が動き出すのを待っていた。

「だけど、なかなか金原のことを調べる機会もなくて……。その内、バッタリ充江さんと会ったんです。そして、私が金原のことを……」

「時間はかかりましたけど」

と、充江は言った。「金原のことを調べました。そして、ゆきえさんが金原の所にいたに違いないと……。ゆきえさんの写真を持って、この近くの雑貨屋や郵便局を回ったんです。ゆきえさんは何度か外出もしていましたから」

「だけど、もういなくなっていた」

　と、太田は言った。

「ゆきえさんが、相沢マリちゃんをよく知っていたので、金原にわざと近付いたのかと思いましたが、そうじゃなかったようです」

　と、充江は言った。「ただ、何かの偶然で金原がマリちゃんを撃ったと知って、ゆきえさんは、一緒にいられなくなり、出て行こうとしたんでしょう」

「あなたは、死体を見付けたんですね」

　と、夕子が訊いた。

「ええ。金原がこの秋、入院したんです。一か月、あの山小屋を留守にしていると分ったので、雪の降る前に、中へ忍び込み、ゆきえさんの持ち物や服を見付けました。そして――もしや、と思って、近くの森を、太田さんと一緒に捜して……」

「でも、金原が埋めたと立証するには、自分で掘り出させるしかない、と」

　と、私は言った。

「私がゆきえさんと似ていることを、利用したんです。きっと金原が私をあそこへ招ぼうとすると思って」

「雪で、列車がここに停るだろうと予想したので、充江さんに連絡して、来てもらったんです。これまでも、金原は乗客のために食べものを持って来てくれましたから」

「そして、充江さんを見て、びっくりしたわけだ」

と、私は言った。「ついでに私もいるとは二重のびっくりだったろうがね」

「でも、お二人がいて下さって安心でした」

と、充江は言った。「一人だったら、どうなっていたか……」

「ともかく、金原は自分が殺した恋人が忘れられなかったんだな」

と、私は言った。

そのとき、駅のホームのベルが鳴った。

「あ、列車が動きます」

と、太田は言った。「お乗り下さい」

「行って」

と、充江が言った。「私、切符持ってないわ。あなたの連絡を聞いて、ここまで車で来たんだもの」

「あ、そうか。でも――雪で遅れたんだから、どうせタダですよ」

「そう？　得したわ！」

と言って、充江は笑った。

「さ、乗ろう」

私は夕子を促して、列車へと乗り込んだ。

充江が、列車に乗る前に、車掌へ素早くキスするのが見えた。

正方形の裏切り

1　上り坂

ああ、やっと半分まで来た！

国道沿いの道から高台へ、長く続く坂道を片岡早百合(かたおかさゆり)はせっせと上っていた。

そう急な坂というわけではないのだが、ともかく普通に歩いても二十分以上かかる。

まだ二十八歳で、スラリと引締まった体型の早百合でも、ほぼ半分に当る曲り角で一旦(いったん)足を止めてしまうのだった。

でも――今は晩秋で風も冷たい。真夏の日射しの下で、この坂を上るのは大変だ。

しかし、そんなことは言っていられない。仕事なのだ。真夏の太陽の下だろうが、雪で転びそうになりながらでも、この坂を上って、原稿を受け取らなくてはならない。

片岡早百合は〈N出版〉の編集者である。

「――さ、もうひと頑張り！」

と、自分を励まして、再び歩き始める。

でも、昔は——と言ってはおかしいかもしれないが、〈N出版〉に入社した二十二歳のころには、この坂を休むことなく一気に上ったものだ。

「いやね。もう年齢(とし)なのかしら」

と、ひとり言を言った。

入社してから六年。長いか短いかは、考えようだが、体重が三キロ以上増えていることとは事実だった。

編集者の仕事も今は変って来ている。パソコンで打った原稿を、そのまま送って来る作家もいる。というよりは、今どきはほとんどの作家がパソコン。

その中で、こうして手書きの生原稿をもらいに行くのは、ワクワクする気分だった。

今、片岡早百合が目指しているのは、作家木谷泰介(きたにたいすけ)の自宅である。

ああ、見えて来た。——ほとんど毎日のように通っていても、坂を上り切った高台に真白な邸宅がくっきりと見えてくると、早百合はちょっと胸のときめくのを感じるのだった。

「——おはようございます」

門柱のインタホンへ声をかけると、

「早百合さん？　どうぞ」

と、返事があって、門扉のロックが外れる。

もう昼過ぎなのだが、つい「おはようございます」と言ってしまう。

玄関のドアを開けて入ると、

「あ、いらっしゃい」

と、明るい笑顔が迎えてくれる。

「亜由子さん、大学は？」

「今日は午後からのんびりなの」

木谷泰介の一人娘、亜由子は大学四年生である。

「あら、羨しい」

と、靴を脱いで上ろうとして、木谷のものではない男ものの靴に気付いた。

それも二足。——木谷のものでないというのは、どっちもいささか古びているからで、今をときめく流行作家の木谷泰介のものであるはずがない。

そして、女ものの靴が一足。

「原稿待ちの人が？」

と、早百合が上って言った。

「ええ、三人。——大変ね、ずっとただ待ってるって」

と、亜由子は言った。「そういえば、確か栗山さん、みえてるわ」

「え？　うちの栗山が？」

早百合がびっくりして言った。

栗山収三は〈N出版〉の編集部長の立場である。早百合の上司ということになるが、編集部全体をみているので、直接話をすることはあまりない。

もともと編集者は「単独行動」の多い仕事なので、栗山がここへ来ているのを知らなくてもふしぎはなかった。

「入ってて。コーヒーでもいれるわ」

と、亜由子は言った。

「あ、いいですよ、私は」

「他の人たちの分も」

と、亜由子はちょっと微笑むと、ダイニングの方へと入って行った。

逆の方の両開きのドアが、いつも編集者が待機する応接室である。

早百合はドアを開けて、

「失礼します」

と、中へ入った。

二十八歳の片岡早百合は、各社の木谷の担当の中でも若い方だ。

「ああ、早百合さん」

と、ニッコリ笑ったのは、〈K書房〉の編集者、松原沙世だった。

今、三十代半ばだろう。木谷の担当になって十年近いと聞いている。

もう一人、ソファに斜めになって居眠りしているのは、尾田和士だった。

〈H書店〉の編集者だが、早百合は出版社のパーティぐらいでしか会ったことがない。

「栗山が来てるんですか？」

と、早百合が言ってソファにかける。

「ええ、知らなかったの？」

と、松原沙世が言った。

「全然。――今、上に？」

「さっき上って行ったわ。原稿を取りに来たんじゃないみたいだなとは思ったけど」

「原稿取りは私です。松原さんも待ってるんだったら、私はその後かな」

――木谷泰介の仕事場は、この邸宅の二階である。

原稿が上ると、応接室の電話が鳴って、

「上って来てくれ」

と言われる。

「でも、きっと早百合さんの所の原稿の方が先でしょ。何といっても、うちより付合いが深いし」

と、松原沙世が言った。

そのとき、電話が鳴った。松原沙世がすぐに受話器を上げる。

「はい。——もしもし？　——先生？」

とくり返して、「——おかしいわ。何もおっしゃらない」

「どうしたんでしょう？」

電話の音で目が覚めたらしい尾田が大欠伸して、

「お呼びかい？」

「いえ、それが……」

沙世が立って行って、ドアを開けると、

「亜由子さん」

と、呼んだ。

「松原さん、何か？」

「今、電話が鳴ったんですけど、ずっと無言で」

「あら、変ね。——ちょっと見てくるわ」

と、亜由子は言って、階段を上って行った。

「——どうしたんでしょうね？」

と、早百合も出て来て言った。

「間違って鳴らしちゃったんじゃない？　ときどきあるわよ」

と、沙世が言い終らない内に、二階から、

「お父さん！　どうしたの！」

という亜由子の叫び声が聞こえて来た。

早百合は沙世と一瞬顔を見合せて、それから急いで階段を駆け上った。

早百合の方が、階段にして二、三段速かったのは、やはり年齢の違いのせいだったのだろうか……。

2　微妙な問題

「地上を睥睨する、って感じね」

と、永井夕子が言った。

ずっと上り坂を辿った車は、やっと白い邸宅の前に出た。

「大した屋敷だな」

と、私は言った。

「そりゃそうよ。今一番の売れっ子作家のお屋敷だもの」

夕子が車を降りて、「木谷泰介さんは大丈夫なんでしょ？」

「気を失っていただけってことだけどな。直接会ってみないと」

「元気だったら、サインもらおうと思って、本持って来たんだ」

「おい……」

屋敷の前にはすでに二台のパトカーが停っていた。門は開け放してある。

玄関へと歩いて行くと、ドアが中から開いて、原田刑事の大きな体が現われた。

「宇野さんの車が見えたんで」

と、原田が言った。「夕子さんもご一緒で」

「お邪魔にならないようにするわ」

と、永井夕子は珍しく殊勝なことを言っている。

「どうも」

明るいセーターの大学生らしい娘が迎えてくれた。「木谷の娘の亜由子です」

「捜査一課の宇野です」

と、私は言った。「これは私の助手のようなもので……」

「永井夕子です。大学生で。亜由子さんも大学生ですよね」

「ええ。今日は午後からだったので、家にいました。——あの、母はちょっと一泊旅行に出ていて。ケータイにメールを入れておいたので、急いで帰って来ると思いますが」

「分りました。お父さん——木谷泰介さんはどうですか？」

「ええ、気を失っていたんですけど、今は大分落ちついています」

「それは良かった。お話を伺うことはできますか？」

「大丈夫だと思います。今は二階の小さい方のリビングに」

私は少し迷ったが、原田の方へ、

「死体は庭だな？」

と訊いた。

「そうです」

「先に庭を見よう」

と、私は言った。

芝生の広がる庭に、男が倒れている。

「栗山さんといいましたか？」

と、私は亜由子に訊いた。

「ええ、栗山……収三だったと思います。〈N出版〉の人で。――今、同じ出版社の編集者が来ています」

「後で話を伺います」

私と夕子は一旦玄関へ戻って靴をはくと、外へ出て、家の外をぐるっと回って庭へ出た。

「――宇野さん。検視官はそろそろ……」

「もう来るはずだがな」

と、私は言った。「芝生に足跡はなさそうだな」

背広姿の男は、うつ伏せに倒れていた。

「靴をはいてないわね」

と、夕子は、私のように名探偵でなくても気が付くことを言った。「――あそこに転(ころが)ってるの、スリッパ？」

死体から数メートル離れて、スリッパの片方だけが引っくり返って落ちている。

「――栗山さんは二階から庭へ落ちたんです」

と言ったのは、亜由子だった。

亜由子は居間から庭へサンダルをはいて出て来ていた。

「なるほど」

私は建物を見上げた。ちょうど見上げる位置に広い窓がある。

「あの窓は……」

「父の仕事部屋です」

「あそこから落ちた、ということですか」

「そうだと思います。見ていたわけじゃありませんが」

栗山という男は、五十歳くらいに見えた。

「後頭部に傷が」

と、夕子が言った。

「なるほど、何かで殴られたんだな」

検視官が来れば、死因もはっきりするだろう。私が亜由子に、

「ではお父さんの話を伺いましょう」

と言うと――、

「あの……」

と、居間の中から声をかけて来た若い女性がいた。

「〈N出版〉の片岡早百合と申します」

と、青ざめた顔で、「亡くなったのは、栗山さんなんでしょうか」

「同じ出版社の人ですね？　一緒に来たんですか？」

「いいえ。ここへ来て、亜由子さんから聞くまでは知りませんでした。でも、一体何が
……」

と、まだ信じられない様子だったが、「――あの、会社へ連絡してもいいでしょうか」

「ええ、どうぞ」

と、私は言った。

では、「流行作家」の話を聞く番だ。


当代一の売れっ子作家の仕事部屋は、それほど広くなかった。

書棚はむろん本で溢れていた。仕事机の上は、ほぼ広さの三分の二が雑然と積み上げられた書類や封筒、雑誌の類で占められていた。

他に、パソコンやコピー機などが置かれたもう一つの机があり、ソファが四人分、二つずつ向い合って置かれていた。

その一つに腰をかけているのが、私も作品はいくつか読んでいた、木谷泰介だった。

「——どうも」

と、木谷はちょっと会釈して、「いつも小説で殺人事件の話など書いているのに、まさか自分の身にそんなことが起るとは……」

「いつも愛読しています」

と、夕子が言った。

「それはどうも」

「お話を伺っても大丈夫ですか？」

と、私が訊くと、

「ええ。一時的に気を失っていただけですから」

と、有名作家はちょっと頭の後ろをなでた。

「でも、殴られたんでしょう？　ちゃんと検査した方がいいですよ」

と、夕子が言った。

「私もそう言ったんです」

と、亜由子が言った。

「——では、そのときの状況を聞かせて下さい」

私が促すと、木谷泰介は少し考えてから、

「いつも通り原稿を書いていました。下の応接室では、原稿を待っている編集者が何人かいて……。そこへ、栗山がやって来たと、亜由子が電話して来たんです」

「仕事中は、直接声をかけないようにしているので、一階から机の電話へかけます」

と、亜由子が言った。

「栗山が突然やって来たので、私は当惑しました。栗山もベテラン編集者です。事前に連絡せずに会いに来ることなど考えられません。しかし、何か急いでいる様子だったので、ともかく上ってもらいました」

「それで……」

「私は原稿を一本書き上げるところでした。あと一、二枚で終る。中断したくなかったので、ドアが開くのは分りましたが、振り向かず、『すまないが、あと少しなんだ。待ってくれ』と言いました。——栗山は何も言わずにソファにかけたようでした」

仕事部屋のドアは、机に向っている木谷からは真後ろになる。

「そして——私は集中して、一枚半ほど書いて、一本原稿を仕上げました。ひと息ついて、『失礼。ちょうど終るところだったんでね』と言って振り向こうとしたとき——いきなり頭の後ろを殴られて、そのまま気を失ってしまったのです」

「——栗山さんを二階へ通した後、私はダイニングの方で、大学へ行くには少し早かったので、TVを見ていました。少しして、〈N出版〉の片岡さんがみえて……。その後、松原さんが、応接室の電話が鳴ったけど、何も言わないと心配して、私を呼んだんです。で、様子を見に上ってくると、父が床に倒れていて……」

亜由子は首を振って、「私、びっくりしてしまって、思わず叫んだと思います。それを聞いて、片岡さんと松原さんが駆け上って来ました。でも——栗山さんの姿が見えないことに、すぐには気付かなかったんです」

「私が言ったんだと思います」

と、片岡早百合が言った。「もちろん、木谷先生のことが心配でしたが、わりとすぐに気が付かれて、『大丈夫だ』とおっしゃったので、ホッとして……」

「そうね、早百合さんが、『栗山さん、どこでしょう?』って言って、私も気が付いたんです」

と、亜由子が言った。「たぶん、この隣の小部屋にいるんだろうと思いました。他には両親の寝室と私の部屋しかありませんから。でも、覗(のぞ)いてみたら誰もいなかったんです」

「そのとき、私、片方のスリッパが窓の所に落ちているのに気が付いて」

と、松原沙世が続けた。「それに窓が半分くらい開いていたんです。それで、もしかしたらと思って、窓から下を覗くと……」

「栗山さんが倒れていたわけですね」

と、私は言った。「しかし——そうなると一体誰が栗山さんを殴って、窓から突き落としたんでしょうね？」

私の言葉に、誰も答えず、ただ顔を見合せるばかりだった。

「それはあなたの仕事よ」

と、夕子が言った。

「分ってるが……、ここにいる人たち以外の第三者が、ここへ上って来て、木谷さんに暴力を振い、栗山さんを殺して窓から投げ落とすことはできたでしょうか？」

「それは……」

と、亜由子が首をかしげて、「ほとんど考えられないと思いますけど」

「あ、もう一人下にいます」

と、早百合が急に思い出して言った。

「そうだ、尾田さんを忘れてた」

と、沙世が言った。

「尾田?」

と、木谷がちょっと眉を寄せて、「〈H書店〉の尾田か? 今日来ることになってたか?」

「知らないけど……。でも、ずっと下の応接室で居眠りしてたから、ここへは来ていません。——ね?」

「ええ、そうです」

亜由子の言葉に、沙世が肯いた。

ともかく、今の様子ではすぐに真相は分りそうにない。

「分りました」

と、私は言った。「一旦、下の部屋へ戻って下さい」

仕事部屋には、木谷と私と夕子だけが残った。

「木谷さん。栗山さんが急に訪ねて来られたとおっしゃいましたが、どんな用件だったか、お分りですか?」

と、私が訊くと、

「いや、それを聞く前に、あんなことになってしまったので……」

と、木谷は首を振って、「一体何があったのか……。ご存知かどうか、私は作家として二十代で新人賞をもらってスタートしたのですが、初めはずっと純文学の難解なものばかり書いていました。三十代の半ばになって、結婚し、亜由子が生まれましたが、私の稼ぐわずかな原稿料では食べていけず、家内がいくつもアルバイトやパートをしていたのです。そんなとき、私の安アパートを、栗山が訪ねて来ました。そして、私にスリラーやサスペンス物を書く才能がある、と言ったのです。

――半信半疑でしたが、栗山に言われるままに、ハードボイルド系のスリラーを書いたところ、それが売れて……。一気に仕事の依頼が来るようになったのです」

「どこかのエッセイで読んだことがあります」

と、夕子が言った。「栗山さんは恩人だと……」

「ええ、彼がすすめてくれなかったら、今のような売れる作家にはなっていなかったでしょう。私にとっては、本当に感謝してもし切れない男でした……」

木谷はため息をつくと、「よりによって、どうしてこんな所で……」

夕子はちょっと考えていた。

それから、ポツリと言った。

「お仕事をされているときに、ここへ入って来たのは、確かに栗山さんでしたか？」

それを聞いて、木谷は一瞬言葉を失った様子だったが、やがて宙を見つめて、

「そう言われると……。あのとき、私は話しかけましたが、彼は何も答えなかった……」

「つまり、栗山さんの姿はご覧になっていないんですね？」

と、夕子が念を押す。

「見ていません。――そうですね、確かに」

と、木谷が肯いた。「ところであなたは大学生なんですか、本当に？」

3　いなかった人

「あなた！　大丈夫なの？」

一階へ下りた私たちの前に、いきなり玄関から飛び込んで来たのは、当然木谷の妻だった。

そして私たちを見て、

「あら。あなたたち、どこの出版社の人？」

と言った。

「いや、私は――」

と、私が言いかけたところへ、

「お母さん！　違うのよ。こちらは警視庁の刑事さん」

と、亜由子が間に入ってくれた。

「まあ、それは……。亜由子、メール読んだけど、本当なの？　栗山さんが死んだって
――」

「本当なのよ。お母さん、それにしても早かったわね」

「帰るところだったの。うまく特急があって。ね、お父さんは大丈夫なの？」

そこへ、木谷が階段を下りて来た。

「仲子（のぶこ）、帰ったのか」

「あなた！　良かった！　あなたの身に何かあったのかと思って」

と、木谷の妻、仲子は手にしていたバッグを、その場に放り出した。

「俺は大丈夫だ。それより栗山が……」

「ねえ、何てことでしょ！　あんないい人を……」

――私と夕子は応接室の中へ入って行った。

片岡早百合と松原沙世、そしてもう一人の中年男が、「ずっと居眠りしていた」尾田だろう。

「――いや、確かに、木谷先生にアポを取らずにやって来たんです」

と、〈H書店〉の尾田和士は言った。「会っていただけるかどうか分りませんでしたが」

「では何の用で？」

と、私は訊いた。

「いや、事前にお電話しても、先生は直接出て下さらないし、手紙を出しても返事はありません。何とかお目にかかって、うちから本を出させていただこうと……」

「それは無茶よ、尾田さん」

と、沙世が言った。「そんなことしたら、先生、却って気を悪くされるわ」

「分ってますよ。しかし、おたくのように定期的に先生と仕事しているところはともかく、初めて会ってお話ししようと思ったら……」

「会ったことがないんですか？」

と、夕子が言った。

「いや、文学賞のパーティで、ご挨拶したことはあります。名刺を差し上げて、ぜひうちでも先生のご本を、とお願いしましたが、あんな場所での会話など、忘れられてしまいますからね」

尾田の言うことも理解できた。

検視官も到着して、現場での聴取は一旦切り上げることにした。

夕子は、玄関を出ようとしたが、ふと送りに出て来た亜由子の方を振り向くと、

「お手伝いさんは？」

と訊いた。

「これだけのお屋敷ですから、お手伝いさんがいるんだろうなと思って」

「え？」

「ええ……。敦子さんという若い人が。香川敦子さんっていって、今二十六かな。でも、今日はお休みを取っていて」

と、亜由子は言った。「お手伝いさんが何か？」

「いえ、何でもありません」

夕子は首を振って、「お邪魔しました」

と、玄関を出た。

「駅まで送ろう」

と、私は一緒に外へ出ると、「検視官の仕事が終って、死体を運び出すまで見届けなきゃいけないから、僕は残るよ」

「うん」

と、夕子が肯く。

とりあえず、自分の車に夕子を乗せて、坂を下って行った。

「――何か考えがあるのか？」

と、車の中で私は訊いた。

「あの栗山って人が、前もって連絡しないで木谷さんに会いに来たっていうことが気になるわね」

と、夕子は言った。「ベテランの編集者がまずそんなことしないでしょ」

「確かにな。〈N出版〉で話を聞いた方がいいだろう」

「それと……大変だなあ、って思って」

「何が？」

「木谷さんの机の上をチラッと見たの。昔ながらの四百字詰の原稿用紙に万年筆で書いてるのね」

「そうか。今どき珍しいだろうな。たいていはパソコンだろ、今の作家は」

作家の執筆事情を知っているわけではないが、私でもそれくらいのことは察しがつく。

「何十年も書き続けてるのね。――毎日毎日、原稿用紙の正方形の枡目（ますめ）を埋めてるんだと思ったら、大変だなあって……」

「確かに。我々素人（しろうと）にゃ分らないな」

車を駅前につけて、夕子を降ろすと、私は木谷邸へ戻った。

「宇野さん」

原田が玄関で待っていた。

「どうした？」

「凶器を見付けました」

「そうか。よかった。――どこだ？」

「庭です」

芝生を囲むように、植込みがある。その中に、三十センチほどの彫像が落ちていたのだ。

「――私が〈S社エンタテインメント大賞〉をもらったときの正賞です」

と、木谷が居間で言った。「それで殴られたんですか？」

「そのようです」

と、私は言った。「鑑識で調べてから、後ほどお返しします」

「よろしく」

と、木谷は息をついて、「しかし――状況から見ると、どう考えても、やったのは私だということになりそうですね」

と言った。

「しかし、あなたには動機がない」

「ええ、――栗山は私の恩人でしたからね」

「栗山さん、ご家族は……」

「奥さんとは十年以上前に別れて、それきりずっと一人でした」

と、木谷は言った。「少なくとも、私の知っている限りでは」

木谷は、居間の隅に立っていた片岡早百合の方へ向って、

「君、何か知ってるか？」

「いえ、ちっとも。ともかく、大ベテランで私なんか親しく話したことはありません」

「そうか。――しかし、彼は君のことをとてもほめていたよ」

「本当ですか？」

早百合はびっくりしたように目を見開いて、「私、直接言われたかった……」

と言うと、ちょっと涙ぐんだ。

「ともかく、栗山さんが木谷さんに会いに来た理由について、〈N出版〉で話を聞きたい。これから一緒に行ってくれるかな」

「もちろんです」

と、早百合は肯いた。

「君の原稿は明日には渡す」

と、木谷が言った。

「ありがとうございます！」

「松原君のところも、何とか明日中には」

「ご無理なさらないで下さい。それに、頭の検査を」

「私が受けさせるわ」

と、妻の伸子が言った。

そのとき、咳払いしたのは、尾田だった。

「先生、僕も突然で申し訳ありませんが……」

「〈H書店〉の尾田君だね」

「そうです。ともかく、何とか先生のご本を出させていただきたいと上司から……」

「すぐというわけにはいかないが、考えておこう」

と、木谷は言った。

「本当ですか！」

尾田は胸をなで下ろして、「これで社へ帰れます」

「まあ、約束はできないよ」

と、木谷は私の方をチラッと見て、「逮捕されなければ、の話だからね」

「やれやれ」

私は、遅い夕食を取りながら、ため息をついた。

もちろん夕子が一緒である。

レストランはラストオーダーの時間が近く、客の姿はまばらだった。

「——どうだった?」

と、夕子は訊いた。

「〈N出版〉で、話を聞いたよ」

と、私は言った。「しかし、栗山さんがなぜ突然木谷さんを訪ねて行ったのか、誰も知らなかった」

「そう。——で、もう一人の方は?」

「もう一人? ああ、お手伝いの子か。香川……敦子だったかな」

「連絡ついた?」

「ああ。一応訊いたよ。今日の休みのことで」

「自分の用でお休みしたって?」

「そう言ってた。何でも祖母のお墓参りをしたいと思って、休みをもらったんだそうだ」

「そうなのね」

と、夕子は肯いた。

「お手伝いの子のことが気になるのか?」

「大したことじゃないの、ただ……」

と言いかけて、夕子は、「ニュースは控えめね」

「まあ、木谷泰介の名前があるからな。もちろん、あの状況じゃ、容疑をかけられても仕方ないが……。動機がない」

私は早々と食べ終って、お茶を飲んだ。

「可能性としては……」

「つまり、君の言った、『誰か別の人間』が、木谷さんの仕事場へ入って行った、ってことか。しかし、その場合、栗山さんが後から来たのか？　もし先に入っていたら、後から誰か入って来たときに何か言うだろうし」

「仕事部屋に入ってたとは限らないわ」

「つまり……小さい応接室か」

「その誰かが、先に二階に上って、そっと応接室に入ってたとしたら……。後から栗山さんが上って来て、仕事部屋に入る。応接室に誰かいるとは思わないでしょ」

「しかし、誰が一体……。下には亜由子さんがいたんだ」

「そう……。でも、どうかしら。あの一階の応接室にいたのは、三人だったと私たちは思ってる。でもそうでなかったら？」

「どういう意味だ？」

「もう少し考えてみるわ」

と、夕子は言った。「お茶のおかわりもらおう。――すみません!」

4 光と影と

「あなた、どうしたの? こんな時間に」

と、伸子は木谷が上着を着ているのを見て訊いた。

「何だか落ちつかないんだ」

と、木谷は言った。「クラブへ行ってくる」

「そう……。気を付けて。車で行くの?」

午前二時を回っている。

「向うで飲んだら、車を置いて、タクシーで帰るよ」

「そうしてね。――何ならホテルに泊って来たら? 女の子さえ一緒でなきゃ、構わないわよ」

妻の言葉に、木谷はちょっと笑って、

「行ってくる」

と、玄関に向った。

「あなた」

伸子が、コート掛けにかけてあったハーフコートを持って来ると、「外は寒いわよ。これ、着て行った方が」

「まだ、大丈夫だよ」

と、木谷は言ったが、「一応持って行くか」

と、ハーフコートを手に取って玄関を出た。

――車をガレージから出す。

夜になると、下りの坂道は見通しが悪いので、少し怖い。

しかし、木谷は慣れているので、少しスピードは抑え気味にして、坂を下って行った。

「――いるはずだ」

と、木谷は呟いた。

坂を下り切った所に、人影があった。

街灯の下で、その黒いコートの人影は寒そうに首をすぼめていた。

車を寄せて停める。

「――待ったか」

と、木谷は言って、助手席のドアを開けた。

「つい、早く来るくせがついてるんだ」

と、助手席に乗って来たのは、〈H書店〉の尾田だった。「――どうなった?」

「今のところは分らない」

と、木谷は首を振って、「どこか、入る店でもあるといいが……」

「こんな所じゃ、何もないだろ。——木谷、あんたはかけがえのない人だ、罪をかぶるようなことはしないでくれ」

「しかし……」

「気が咎めてるのは分ってる。しかし、こういうことになったのも運命みたいなもんだ。自分を責めないでくれ」

「どこへ行くんだ？」

「分らんね」

と、尾田は首を振って、「いずれにしても、死ぬときは編集者尾田和士としてでなく、作家田辺星一として死ぬよ」

しばらく二人は黙っていた。

木谷が車のエンジンをかけて、

「少しドライブしよう」

と、車を走らせた。

海岸の道を辿って行く。他の車はほとんど通らない。

「——どこに行くんだ？」

と、尾田が訊いた。

「この先で、上りの道がある」

と、木谷は言った。「高台に展望台があって、昼間は海がきれいに見えるんだ」

「夜だぜ」

「うん、しかし、誰もいないからな。落ちつくだろ」

木谷はハンドルを切って、坂を上って行った。

展望台には、むろん人影も車もない。

「――ときどき、筆が進まなくなると、ここへ来て、ぼんやりするんだ」

と、木谷は言った。

「外は寒そうだな」

「風が吹きつけるからな。車の中にいれば大丈夫だ」

木谷は少し間を置いて、「――もう、家(うち)は俺がいなくても大丈夫だ」

と言った。

「いなくても、って？」

「この後、女房と亜由子が暮していけるだけの蓄(たくわ)えはある」

「木谷――」

「付き合うよ。お前、死ぬ気だろ？」

尾田は一瞬絶句したが、

「――何を言ってるんだ？　あんたはかけがえのない人だと言ったじゃないか」

「しかし、俺は裏切ったんだ。初めの志を忘れて、金になる小説へと走ってしまった」

「それは……」

「お前は立派だ。編集者として働きながら、田辺星一であり続けた」

「誰も知らないがね」

「そんなことは関係ない。お前だって、その気になれば、娯楽小説の一つや二つ、書けたはずだ。しかし、お前はそうしなかった」

「それは分らんよ。娯楽のための小説だって、誰にでも書けるもんじゃない」

と、尾田は言った。「もちろん、栗山はあんたのそんな思いを全く分ってなかったがね」

「本当だったら、俺が栗山を殴っていたはずだ。それをお前が代ってやってしまった」

「腹が立ったんだ。もう読者を喜ばせるための小説は書かない、とあんたが言ったとき、栗山は……。笑った。笑ったんだ」

「ああ」

「自分の言うことを聞いてればいいんだ、と言った。あんたを、まるで自分が操ってるロボットみたいに見ていた」

「口が滑ったんだ。俺のことを心配してくれてることは事実だ」

「しかし、あんな言い方はないだろう。俺を見て、栗山は『何でお前がここにいるんだ』と、顔をしかめた……」

「うん……。栗山は知ってた。お前が田辺星一の名で純文学を書き続けてることをな」

「カッとなったんだ。『売れない作家は引っ込んでろ！』と言われて。――本当のことだから、余計にカッとなったんだろうな」

と、尾田は苦笑した。

「お前一人を死なせるわけにいかない。――この車で、真直ぐ展望台から飛び出せば、たぶん車は海へ落ちるだろう」

木谷はエンジンをかけた。

「おい――」

「いいんだ。俺の決めたことだ」

車を展望台の外へ向けると、木谷はアクセルを踏もうとした。

そのとき、目の前を一台の車が遮った。

木谷がブレーキを踏む。

「何だ！」

と、木谷は言った。

木谷の車の前をふさいだ車から——。

「木谷さん」

と、私は言った。「そんなに簡単に死ぬもんじゃありませんよ」

「あんたは……」

木谷は車を出ると、目を丸くした。

私と夕子だけでなく、編集者の松原沙世と片岡早百合、そして妻の伸子、亜由子まで降りて来たからだ。

「あなた！　何てことを考えたの？」

と、伸子が言った。

「お前……」

「奥さんが渡したハーフコートに、小型マイクが取り付けてあったんです」

と、夕子が言った。「車の中でのお話、すべて聞いていました」

「何と……」

木谷が唖然とした。夕子が続けて、

「お手伝いの香川敦子さんに『殺人事件に係ってるんだから、嘘をついちゃいけませんよ』と話したんです。青くなって、本当は、あなたから休むように言われたと打ち明けてくれました。――罪のない人に、嘘の証言をさせてはいけませんよ」

木谷は目を伏せた。

「――先生！」

と、松原沙世が言った。「先生は生きなきゃいけないんです。待っている読者が大勢いるんですから」

「松原君……」

と、木谷は言った。「私はずっと苦しかった。売れれば売れるほど、ありがたいと同時に、辛かった。本当はこんなはずじゃなかった、という思いが、ずっとあったんだ」

「でも――」

と、片岡早百合が進み出て、「先生の小説は、私を幸せにしてくれます。他の人たちもきっとそうだと思います。見知らぬ人たちを幸せにできるって、すばらしいことじゃありませんか！」

木谷は吹きつけてくる風に凍えた表情になりながら、

「そうだな。俺にできることがある、っていうのは、恵まれたことなんだな」

「――それでいいんだ」

と、尾田も車から出て来た。「刑事さん。栗山さんを殴ったのは僕です。――木谷さんとは、同じサークルにいたことがあって……」

「一階の応接室には三人いたように見えますけど」

と、夕子は言った。「早百合さんが来たときは、もう事件が起った後でしょう。するとあそこには松原さんと尾田さんの二人しかいなかったことになります。松原さんも、トイレに立つことぐらいあったでしょう。尾田さんが一人になれば、二階へこっそり上ることもできたはずです」

「木谷さんから聞いていたので。筆を折る、と。栗山さんがびっくりして駆けつけて来るのは分っていたので、二階の応接室に入って、栗山さんと木谷さんの話を聞いていたのです。栗山さんは木谷さんの悩みを分ろうとせずに、よくある作家のわがままだとしか受け止めていなかった。僕はたまりかねて仕事部屋へ入って行き……」

尾田はため息をついて、「とり返しのつかないことをしてしまった」

「何とか、尾田を守りたかったのです」

と、木谷は言った。「ともかく死体をどうにかしようと。そして、尾田を一階へ戻らせたんです。しかし、私一人の力では、どうにもならない。何とか窓から庭へ落としたのですが……。すぐ見付かるだろうと分っていたので、ともかく尾田が下にいるときに事件が起きたことにしようと、応接室へ電話をかけて、何も言わず、松原君たちが上って来るように仕向けて、自分は気を失ったふりをしました」

「人騒がせな！」

と、伸子が腹立たしげに言った。「あなた！　この女子大生さんに感謝しなさい！　この人がいなかったら、今ごろ車ごと海の底だったんだから」

「分ってるよ」

と、木谷は渋い顔で言った。

「こうしていても、寒くて風邪ひきそう」

と、夕子が言った。「お宅へ戻りましょう。奥様と亜由子さんはご主人の車に」

「しっかり見張ります」

と、亜由子が言った。

「――しかし、松原さん」

と、尾田が言った。「僕が応接室にいなかったのを知ってたのに、どうして黙ってたんです？」

「木谷先生と、何かよほど大切なお話があるのかなと思ってね」

と、沙世は言った。「尾田さんとしてでなく、田辺星一としてね」

「知ってたんですか？」

「編集者の耳は地獄耳なのよ」

私は、尾田をこっちの車の助手席に乗せて、車の助手席に乗せて、

「あの車を尾けてくるのは大変だったんだぞ」

と言った。「気付かれないようにライトを消して。しかも——」

「後ろに四人も乗ってたんですものね」

と、沙世が言った。

今は夕子と早百合、沙世の三人だ。

「スマートな人ばっかりで良かったわ」

と、夕子は言った。

展望台に風が渦巻いて、唸りを立てる中、私は木谷の車の後について、坂道を下って行った。

叔母捨て山

1　発端

「何がいけないんですか?」

と、男は言った。

「そうよ」

と、女が肯いて、「私たちは伝統を大事に守ってるだけなんです」

私はため息をついて、

「しかしね……。今は二十一世紀だよ」

と言った。「そんな伝説が通用するわけがないだろう」

「ここでは通用するんです」

と、男は腕組みして言い張った。

そんなわけが……。

叔母を殺して山へ捨てる。それが伝統で片付けられてはかなわない！

大体、ここは——山があるとはいっても、東京都なんだ！


そもそもは、ある大学生のキャンプから始まった。

「わあ、空気が冷たい！」

テントを出た女子大生は、思い切り深呼吸して、空を仰いだ。「——あ」

ケータイにメールの着信音がした。

「こんな山の中でも通じるんだ」

と、感心して、「——何よ」

隣のテントからのメールだった。

これじゃ、六本木にいるのと変らない。

〈おはよう！　起きてるかい？〉

「起きてるわよ！」

と、じかに言ってやった。

隣の男子学生のテントから這い出して来たのは、N大生の久保田亮。河北かすみとは一応「恋人もどき」。

「どうせ夜中まで起きてたんでしょ」

と、河北かすみは言った。

「いや、することないし。早々に寝たよ」

と、久保田亮は伸びをして、「今、何時だ？」

「六時を少し過ぎたところよ」

「凄い！　こんな時間に起きられるんだ、俺！」

「変なことに感動しないで」

「な、ちょっと朝の……」

「え？　だって……」

と言いつつ、かすみは素早く亮にキスした。

「ひげそってよ。すぐザラつくんだから」

「そうだった。そっちのテント、誰か起きてるのか？」

「眠ってるんじゃない？　でも、そろそろ起きるでしょ。朝はひんやりしてるからね」

河北かすみはK女子大の三年生。久保田亮はN大の三年生で、文化祭の交流行事で知り合った。

合同のこのキャンプもその流れでの企画だった。

男女四人ずつで、山奥の渓流を辿り、河原にテントを張った。

「でも、ここだって東京都なのよ」

と、かすみは言った。

「なあ。広いんだな、結構」

「本当ね。こんなに静かで人気がなくて……」

と、かすみはもう一度深呼吸すると、「朝食の仕度。そっちも手伝うのよ」

「分ってるよ」

と、亮は言って、「――今、何か聞こえなかった？」

「何か、って？」

「人の声みたいな……」

「誰かが寝言言ってるんじゃないの？」

と、かすみは肩をすくめた。

「いや、確かに……」

そのとき、

「助けて……」

と、女の声がはっきりと聞こえた。

「え？　今の何？」

かすみもびっくりして周囲を見回した。

「誰かが『助けて』って……」

「でも——」

河原の砂利を踏む音がした。

その音の方へ目をやって、二人は立ちすくんだ。

ボロボロになった服を着た女が、よろけながら現われたのである。年齢も分らないのは、顔も手足も泥だらけだったからで、しかも裸足だ。

フラフラと二、三歩進むと、

「助けて……」

と、もう一度呟いて、その場に倒れた。

悲鳴が河原に響き渡った。——久保田亮の悲鳴だった。


その悲鳴を夕子が聞いたのは、全くの偶然だった。

大体、午前六時という時刻に、こんな山の中を車で走っているのは普通ではない。

私、警視庁捜査一課警部の宇野喬一は、恋人の女子大生、永井夕子を助手席に乗せていた。

本来なら、私は夕子と二人、この先の温泉のモダンなホテルでのんびり朝寝をしているはずだった。ところが、午前四時ごろ、夕子のケータイが鳴って、大学での夕子の親友の女の子が車の事故に巻き込まれて死んだという、友人からの知らせ。

のんびり寝てはいられない。急いで仕度をして、まだ暗い中、ホテルを出た。

途中はかなり深い山の中で、寝不足で運転するのは怖かったが、そんなことも言っておれず、六時ごろ、やっと明るくなった山道を都区内へと走らせていた。

すると、夕子のケータイが鳴って——。

「え？　——同姓同名の別人？」

夕子が啞然として、「じゃ、生きてたんだ」

私は車を停めた。

「いえ、それなら良かった。——でも亡くなった人は気の毒だけどね。——うん、いいよ、大丈夫。それじゃ……」

車の中は、しばし沈黙した。

「しかし、良かったじゃないか。無事と分って」

「ええ。——今さら、温泉に戻れないわよね」

夕子は車を降りると、ウーンと伸びをした。

「ここ、どの辺かしら？」

と、夕子が言った。

道の下の方から、水の流れる音がする。そして……。

「ワーッ！」

という悲鳴が聞こえて来たのだ。

私と夕子は顔を見合せた。

「今の……」

「ああ、何かあったんだな」

急いで車を降りると、道の端から下を覗いてみた。しかし、木や茂みに邪魔されて、下を流れる渓流の一部がチラッと目に入るだけ。

「下りられる？」

「そうだな。木の幹につかまって行けば、下りられるだろう」

と、私は言った。「あの悲鳴は、ただごとじゃない」

「そうね。もしかしたら、熊にでも襲われたのかも」

と、夕子が言った。「私も行くわ」

茂みをかき分けて、下り始めると、意外に足をかける岩や木の根に事欠かず、私たちは河原へ下りることができた。

二つのテントが目に入った。大学生らしい男女が、河原で呆然と立ちすくんでいる。

「おい！　大丈夫か！」

と、私は声をかけた。「警察の者だ！　何があった？」

「あの……」

と、女の子の一人が言った。「女の人が突然……。倒れてしまって」

指さす方を見ると、女性が一人、うつ伏せに倒れている。夕子が駆け寄って、その女性のそばにかがみ込んだ。

「――息はあるわ。でも、脈が弱い。病院に運ばないと」

と、夕子は言った。

「分った。それと――その男の子は？」

学生らしい男の子が一人、テントのそばで倒れていたのだ。

「ええと……この人は大学生の仲間で」

と、女の子が言った。「びっくりして、気絶しちゃったんです」

「じゃ、あの悲鳴は？」

「ええ、この――久保田君です。ちょっと、繊細なもので……」

と、女子学生が言った……。

2　知った顔

「どうも……」

病院の廊下へ出て来た久保田亮という男子学生は、まだ少し青白い顔をしていた。

「大丈夫？」

と、夕子が訊いた。

「ええ……。昔から血を見たりすると、貧血起して、よく笑われてたんです」

と、頭をかいて、「加えて、あんな風に突然に……。びっくりしちゃって」

「出血はしてなかったわよ」

と、夕子が言った。「ただ、服がボロボロになって、すり傷とかはあちこちにあったけどね」

「そうですか？　僕、なんだか血だらけのお化けが出たような気がして」

「亮君！」

と、廊下をやって来たのは、女子学生の河北かすみ。「もう起きてもいいの？」

「うん。君、残っててくれたのか」

「放っておけないでしょ、亮君一人」

と、かすみは苦笑して、「今、お宅に電話しといたわ。他の子から話が行ったら心配するでしょ、お宅で」

「すまない。――もう夕方？」

「今、四時よ。でも、こちらの宇野さんがすぐ病院を手配して下さって」

ともかく、あの女性を病院へ、というので、居合せた学生たちで、上の道まで女性を運んでもらった。ついでに、久保田亮も……。

そして、車で三十分ほどの、一応救急病院に指定されているここへやって来たのである。

「あの女の人は……」

と、亮が言った。

「まだ意識不明みたいよ。命には別状ないとかって」

「困ってるのは、身許（みもと）がさっぱり分らないことだ」

と、私は言った。「この辺の警察へ連絡して、行方不明の届出がないか、問い合せてるんだが」

「あ……」

私と夕子は直接係（かかわ）りもないのに、ずっと病院にいることになってしまった。

亮が、ぼんやりと病院の中を見回していたが、「もしかして、ここって、〈N病院〉？」

「ええ、そうよ。知ってるの？」

「何だか……子供のころ連れて来られたことがあるような気がして」

確かに、相当に時代ものの病院である。

「そうか。亮君って、こっちの方の生れだっけね」

と、かすみが言った。「それであそこでキャンプしようって話になったんだ」

「でも、五つぐらいまでしかいなかったから、ほとんど憶(おぼ)えてないよ。ただ、この薄暗い病院は記憶に残ってるんだ」

「じゃ、私たち、もう帰っていいですか？」

と、かすみに訊かれて、

「そうだな。あの女性があんなに弱ってる事情がはっきりしたら、また話を聞くことがあるかもしれないよ」

と、私は言った。

「ちょっと様子見てから帰ろう」

と、かすみが亮の腕を取る。

気は進まない様子だったが、亮は、点滴をしながら眠り続けている女性のそばに連れて行かれた。

「六十は過ぎてるだろうね」

と、私は言った。「髪はほとんど白くなっている。医者の話だと、ひどい外傷はないが体力を消耗しているってことだった。道に迷ったとか……。しかし、いくら迷っても、少し歩けば、どこかに出るはずだがね」

「はあ……。泥だらけだったのが、きれいになってますね」

と、亮は言って、その女性の顔をしばらく覗き込んでいたが……。

「亮君、行こうよ」

と、かすみに促されて、病室を出ようとした。

そして、足を止めると、

「あれ？」

と言って振り返り、その女性のベッドへ歩み寄った。「もしかして……」

「――どうしたの、亮君？」

「いや、この人……。僕、知ってるかもしれない」

私と夕子は、思わず顔を見合せた。

「いや、はっきりとは言い切れないけど……。たぶん、小さいころ遊んでもらってたことがある……」

と、亮は言って、「あの……この人、助かるんですよね？」

「何か犯罪に巻き込まれて、逃げて来たんだと思うわよ」

と、夕子が言った。「手の指の爪を見て」

なるほど、両手とも、指先は傷ついていて、爪もはがれている指があった。

「戸をこじ開けようとしたのかな」

と、私は言った。「つまり、どこかに閉じ込められていたということか」

「気の毒に」

と、かすみが言った。「亮君、この人の名前、分るの？」

「うん、確か……〈なまえ〉だった」

「だから名前が分るのか、って訊いたのよ」

「いや、そうじゃないんだ。〈生きる〉に〈江戸〉の〈江〉で、〈生江(なまえ)〉っていったと思う。珍しい名前だろ？　それで憶えてるんだ」

「ありがとう」

私は早速、地元の警察に連絡を取った。


村といっても、そこは山に囲まれた土地で、曲りくねった道の傍に、ポツンと一軒ずつの家がずっと離れて建っている。

家と家の間は、以前は畑で、何か作っていたのだろうが、今は放置されて、雑草が生い茂っていた。

その中で、割合新しいモダンな二階建の家があった。

「──どうも、わざわざ」

居間に通してくれたのは、四十前後と見える、禿(は)げ上った小太りな男だった。

「生江公介(こうすけ)と申します」

名刺には、工務店勤務とあった。

「早速ですが」

私は、ベッドで寝ている女性の写真を見せた。「ご存知の方ですか」

一目見て、

「こりゃあ……。叔母の良子(よしこ)です」

と、生江公介は目を見開いた。「どうしたっていうんだ……」

「良子さんとおっしゃる?」

「はあ。生江良子といいます。この先で一人暮しをしていて……。あの……どこで叔母は……」

「それが河原でキャンプしている大学生が……」

「そんな所に?」

と、公介は言って、「あの……叔母は……」

「大丈夫です。意識を失っていますが、命は助かるということです」

「そうでしたか! いや、びっくりしました!」

と、公介は息をついた。

「叔母さんとは、いつもお会いになってたんですか?」

「いえ、それが……。ずっと一人だった叔母は、六十過ぎてから、ひどく気難しくなりましてね。私や家内が心配して訪ねて行っても、追い返される始末で……。もう、ここ半月ぐらいは連絡も取っていませんでした」

そこへ、表に車の音がして、

「ただいま」

と、スーパーの袋を両手にさげて、中年の女性が入って来た。

「おい、五月(さつき)！　叔母さんが倒れて入院してるそうだ。命は助かったそうだが、意識がないって」

と、公介が言った。

「まあ、本当？」

「妻の五月です」

公介が私たちの話を妻に聞かせる。

「大変ね。そんな……。あ、ちょっとすみません。冷凍食品を買ってしまったので」

居間に続いたダイニングキッチンへ行くと、大型の冷蔵庫に、スーパーで買ったものをしまった。

「良子さんの住いに案内していただけますか？」

と、私は言った。

「もちろんです。――もう暗くなりましたね。五月、お前の車で行こう。キーを」

「ええ。私も行くわ」

私と夕子は、生江五月の運転する小型車に乗せてもらって、細い道を辿って行った。

3 暗い家

その家は、生江公介夫婦の家に比べると、古く、ずいぶん見すぼらしかった。

「昔は叔母も手広く商売をしていまして」

と、車を降りて、公介が言った。「一時はかなりの財産があったようですが、何だか誰かの口車にのって騙されてしまって……」

引き戸の玄関は鍵もかかっていなかった。

「やあ、真暗だな。——どこかその辺に明りのスイッチが」

明りが点いて、色の変った畳の六畳間が浮かび上った。

「あら……」

と、公介の妻、五月が意外そうに、「あなた、ずいぶん片付いてるわ」

「本当だな」

と、公介は部屋の中を見回した。「こいつは……」

確かに、狭苦しい作りだが、きれいに片付いている。

「いつも、足の踏み場もないくらい、散らかっていたんですよ」

と、公介は言った。「こんなにきれいになってるなんて……」

障子の破れや、天井や壁のしみはあるが、戸棚の中も整然としている。

「叔母さんは……」

と、五月が言いかけると、

「うん。——自分で死ぬつもりだったのかもしれねえな」

と、公介は言った。

「そんなことを洩らしていたんですか？」

と、夕子が訊いた。

「どうも……。すっかりふさぎ込むことが多かったんですよ。でも、たまにパーッと、こう、爆発することがあったり……。病院に行けとも言っていましたが、耳を貸しませんでした」

生江良子は死んだわけではない。いつか意識が戻るだろうから、この家を勝手に調べることはできない。

「書き置きのようなものはない？」

と、夕子が言った。

「そうだな」

私は戸棚の引出しなどを一応開けてみたが、少なくとも目につくそれらしいものはなかった。

夕子は家の中を見て回っていたが、特に変ったものはないようだった。

「河原で見付かったことに、心当りは？」

と、私は訊いたが、公介も五月も、首をかしげるばかりだった。

すると、表でバイクの音がした。

「――何だろう？」

公介が玄関へ出て行くと、

「生江さん、郵便です」

と、配達人が顔を出した。

「ああ、松本さんか」

と、公介は言った。「叔母さん、今、入院してるんだよ」

「え？」

と、まだ二十七、八かと見える配達人はびっくりした様子。

「俺が預かっとこう。手紙か？」

「役所からの通知みたいですよ」

と、松本という配達人は言った。

「ご苦労さん。――間違いなく渡しとくよ」

「よろしくお願いします」

バイクの音が遠ざかって、

「では、私たちも失礼します」

と、私は言った。「生江良子さんの意識が戻れば、事情がはっきりするでしょう」

「お手数かけてすみませんでした」

と、公介は言った。

私たちの車は公介の家の前に置いてあったので、小型車で元の家に戻った。

「――この件について、事件性があるかどうか、ご本人の意識が戻った時点で、地元の警察に確かめてもらうことになります」

と、私は説明して、夕子と二人、車で山間(やまあい)の小さな村を後にした。

「――真暗だな」

と、私はハンドルを握って、慎重に運転しながら言った。「まあ、特に怪しいような様子もなかったな」

「そう?」

と、夕子が助手席で言った。

私はチラッと夕子を見て、

「おい、何か気が付いたことでもあるのかい?」

と訊いた。

「あの古い家」

「あの家がどうした？」

「生江良子さんがずっと一人で住んでたんでしょ？」

「それが……」

「トイレを覗いたの。洋式トイレで、便座が上っていたわ」

「つまり——」

「男の人が使った、ってことでしょ」

「そうだな。しかし、客ぐらいあるかもしれないぜ」

「もちろんね。ただ、気が付いたことって言うから」

「うん……。でも、それだけじゃ……」

「それだけ？」

何か言いたげな夕子に、私はため息をついた。——素直じゃないんだからな、全く！

車はやっと、あの病院のある町へと入って行った。

「——そこに、食事のできそうな店があるわ」

と、夕子は言った。「お腹が空いてるの、名探偵は」

「分った。戻るのは遅くなりそうだからな」

私はスピードを落として、「定食屋」という看板の出た店の前に車を停めた。

ともかく、町の中も真暗なので、まるで夜中かと思うが、まだ七時を回ったところだった。

入って〈今日の定食〉を注文する。

「三つね」

と、夕子が注文したので、面食らって、

「二つも食べるのか？」

と訊くと、

「一人、増えるのよ」

と、夕子が言った。

「いらっしゃいませ」

ガラッと戸が開いて、入って来たのは、何と部下の原田刑事の大きな体だった。

「原田、お前……」

私がびっくりしていると、

「私が連絡して、来てもらったの」

と、夕子が言った。「原田さん、〈定食〉食べるでしょ？」

「もちろんです！」

と、原田は我々のテーブルに加わって、「で、どんな事件なんですか?」

「知るか」

私は半ばやけになって言った……。

4 溶ける

病室は薄暗かった。

静かにドアが開くと、看護師が入って来た。

ベッドに近付くと、患者の血管に入っている点滴のスタンドを左手で押えて、右手をポケットから出す。

その手は注射器を持っていた。注射針が点滴の管に刺さる。注射器の中の液が、管に注入されていった。

一分とかからなかった。——看護師は、大きく息をつくと、素早く病室から出て行った……。

「もしもし」

「生江だが。——どなた?」

　少し間があって、

「どうも今日は」

「何？」

「さっきお目にかかりましたがね」

「そうか。――松本さんだね」

「分ってもらえましたか」

「何か用かい？　郵便のことで、何かあったかな？」

　向うはちょっと笑って、

「とぼけないで下さい」

「何を言ってるんだ？」

「聞いてますよ、良子さんが殺されそうになったと」

「それは……噂だよ」

「噂ですか」

「そうとも。叔母は自殺を図ったんだ」

「そうですかね」

「君、何が言いたいんだ？」

「お分りでしょう。僕が証言すれば、あなたにはまずいことになる」

「意味が分らんね」

「手っ取り早く言いましょう。ちょっとまとまった金がいるんでね」

「何だと？」

「欲は出しません。三百万。――ひと月以内に三百万、どうです？」

「ゆすろうって言うのか！」

「カッカしないで下さい。冷静さが一番必要なときですよ」

「君は……。いいだろう、三百万だな」

「そうそう。もの分りのいいのが、あんたのいいところだ」

「すぐというわけにいかないぞ。叔母が死んでも、すぐ現金が手に入るわけじゃない」

「言いわけは結構。ともかく、ひと月以内に三百万。いいですね」

「だが――。おい、ちょっと待て！　――もしもし！」

「畜生（ちくしょう）！」

舌打ちしながら、生江公介はケータイを見下ろした。

玄関から、

「帰ったわ」

と、声がした。

「五月。——どうだった？」

「やって来たわよ」

五月は汗をかいていた。「うまくやれたと思うわ」

「小屋に閉じ込めたときに使った薬の量を、お前が間違えたんだぞ」

「仕方ないでしょ！」

と、五月は言い返した。「看護師だったのは、もう十年以上前よ。記憶違いしてたの」

五月はぐったりとソファに身を沈めて、

「これでうまくいくわね……」

と言った。

「あの警視庁の刑事には肝を冷やしたな。しかし、もう引きあげてる。この辺の警察なら、何とでもなる」

「そうよね。——当然こうなるべきだったんだもの」

と、自分へ言い聞かせるように、「叔母さんは、私たちにすべて遺(のこ)してくれるべきだったのよ」

「そうだ。——俺たちのことを嫌って、財産を処分するなんて言い出すから……」

と、公介は言ったが……。

二人は呆然として、居間の入口を見つめていた。

「お邪魔しますよ」

と、私は言った。

夕子と、原田刑事が後ろに控えている。

「もう町を出られたと思いました」

と、公介が言った。「何かご用で？」

「五月さん」

と、夕子は言った。「元看護師だったんですね。注射の腕は確かだったわ」

「何のお話？」

「とぼけてもむだです。病室には、この原田刑事が潜んでいたんですよ。点滴の針は、良子さんの腕に刺さっていなかったんです」

「何ですって？」

「郵便配達の松本さんに頼んで、公介さんをゆすってもらいました。お金を出すのを承知したそうですね」

「何のことやら……」

「松本さんは知ってますものね。このきれいな家が良子さんの住いで、あの古い狭い家があなた方の住いだということを」

「そんなことは……」

「分ってました」

と、夕子は言った。「私の部屋、前に住んでた人が、冷蔵庫を置いて行ったんで、そのまま使ってるんです」

そして夕子はキッチンの冷蔵庫へと歩み寄って、

「これ、たまたま私のと同じタイプなんです。五月さん、買って来た冷凍食品を、この小さい扉の中へしまってましたけど、ここは違うんです。冷凍庫は上の広い扉なんですよ。ここがあなたの家なら、間違えるわけがない。そうでしょ？」

夕子は小さな扉を開けて、「せっかくの冷凍食品が、ほら、溶けてしまってますよ」

と、水のたれるビニール袋を取り出した。

「良子さんはちゃんと財産を管理していた。しかし、あなたは破産して、あの古い家に住むしかなかった……」

と、私は言った。

公介と五月は、しばし呆然としていたが、

「――これでいいんですよ」

と、公介が言った。「この土地にはね、ある年齢になったら、蓄えを子孫へ渡して、自分は山へ入って死ぬという伝統があるんです」

「何です、それは？」

「不公平ですよ！　そうじゃないですか。俺たちは夫婦なのに、あんな小さな家。叔母は一人住いなのに、こんな立派な家。――そうですよ、俺たちは公平さを要求する権利がある！」

私は苦笑した。

「そんな言い分が裁判で通るとは思いませんね。――それから、良子さんが意識を取り戻しました。あなた方に、薬で眠らされ、山奥の小屋に閉じ込められたとおっしゃっています。辛うじて脱出して、助かりましたが、これは立派な殺人未遂ですよ」

「表にパトカーが」

と、原田が言った。

公介と五月が、力なく立ち上る。

夕子が見送って、

「冷凍食品がむだになりましたね」

と言った。

真面目人間、ここにあり

1　感動

そのとき、Ｗ大の講堂は学生たちで埋っていたが、およそいつもならあり得ないことが起っていた。

ありがたい講演会やピアノ演奏会など、色々なイベントに使われている、Ｗ大でも古い、由緒ある講堂なのだが、どんなときでも、水を打ったように静まり返ることはまずない。

何となくザワザワしていて、あちこちでスマホを使っているのが分り、学生たちの間には、

「何でもいいから、早く終ってくんないかな」

という空気が漂っているのである。

ところが――このときばかりは、本当に場内で聞こえるのはすすり泣きのかすかな声

と、ティッシュペーパーでハナをかむ音だけ。

今、講堂では照明を落として、映画が上映されていた。

なぜW大でこの映画の試写会が開かれたかというと、実話をもとにした映画の主人公が、このW大の出身だったからなのである。

第二次大戦中、ナチスに追われたユダヤ人たちを、領事館の地下に何十人もかくまった外交官の話で、むろん、その行為がばれたら、命はなかっただろう。

かくまわれたユダヤ人たちの方が心配しても、主人公は、

「人として当然のことをしているだけですよ」

と、穏やかに微笑むだけだった。

そして妻もまた夫と運命を共にする覚悟で協力した。

よくできた映画だわ、と永井夕子は思った。

決して感傷的にならず、淡々と事実を描いている。

学生たちも、そんな映画に引き込まれているようだった……。

そして——試写が終って明るくなると、盛大な拍手が送られた。

ゲストに招ばれていたのは、主人公を演じた桐生哲次だった。三十代半ばで、二枚目のスターだが、映画ではみごとな演技を見せていた。

「——良かったね」

と、夕子の隣で涙を拭いていたのは、W大の学生で、夕子の古い友人、佐賀史代。実は夕子はW大の学生ではないのだが、史代に誘われて、試写会に潜り込んだのである。

ステージでは司会の学生が、

「桐生さんに何か質問のある方は……」

と、呼びかけていた。

「感動しました！」

と、質問でなく、感想を述べる女子学生がいて、司会者が、

「他に何か――」

と、声をかけると、

「はい！」

と、手を挙げた男子学生がいた。

その学生から少し離れていた夕子と史代だったが、

「史代、あれ……」

「川田君だ」

夕子が一度、史代から紹介されたことのある男子学生だった。

「見に来てたんだ」

と、史代はちょっと嬉しそうに言った。「誘ったけど、関心なさそうだったのに」

その学生は司会者から指されると、立ち上って言った。

「どうしたら、女の子にもてますか」

夕子は史代の顔が一瞬、サッと青ざめ、こわばるのを見た。


「おい！　待てよ。史ちゃん！」

という声が背後から聞こえた。

もう暗くなった大学構内を、正門へ向って歩いていた永井夕子と佐賀史代は、その声を聞いていたが、史代が、

「止まらないで。行っちゃおう」

と、むしろ足取りを速めたので、夕子もそれについて行った。

バタバタと駆けて来る足音がして、

「史ちゃん！」

と、息を弾(はず)ませた男子学生が追い付いて来た。「出口で待ってるって言ったじゃないか」

史代は足を止めると、

「川田君、はっきり言っとくけどね」

と、正面から川田を見つめて、「もう友達でも何でもない。二度と声かけないで」

「え？　どうしたんだよ」

と、川田は冗談と思ったらしく、「何か気に食わなかった？」

「あなたね……」

と言いかけた史代は、腹が立って言葉が出て来ないようだった。

夕子が代って、

「佐賀さんは、あなたが、真面目でいるべきときと、ふざけていいときの区別がつかないことに怒ってるの」

と言った。

川田は眉をひそめて、

「何だよ、あんた。僕と史ちゃんの話に勝手に割り込まないでくれよ」

「やめて」

と、史代は言った。「今、この人が言った通りよ。あの場で、何てこと訊くの！」

「何だ、そんなこと？」

と、川田は笑って、「だってさ、桐生哲次なんて、あんな真面目くさった役やってるけど、本人はプレイボーイで有名なんだぜ。それに受けただろ？　みんな笑ってたよ」

「あれを笑える子もいるでしょうね。そういう子と付合って。私は笑えないから」

「固いこと言うなよ。そんなの、流行（はや）んないぜ」

と、川田は史代の肩に手を回して、「ね。君は邪魔だから外して」

と、夕子に言った。

「僕らはこれからホテルで楽しむことになってんだ」

「やめて！」

史代は川田の手を振り払うと、「私、真剣に言ってるの。もうあなたにはついていけない」

「何だよ。――大したことじゃないだろ。ちょっとしたジョークじゃないか」

「川田君。あなた、これからも、どんなときでもふざけて笑ってやっていくつもり？　それだけじゃすまないときが必ず来るのよ」

と、史代は言って、「夕子、行こう」

夕子の腕を取って促す。

二人が歩き出すと、さすがにもう川田は追って来なかった。

「――どうしてだろうね」

と、大学を出て、歩きながら夕子が言った。「真剣にものを考えられない子が増えてるよね。いつもジョークにして笑ってたら、世の中をうまく渡っていけると思ってる子が……」

真面目になることを「ダサい」と嫌って、何でも笑ってごまかそうとする。

「情ないよね！」

と、史代は強い口調で言った。「軽過ぎていやだったの、川田君のこと。でも、あそこまでとは……」

「少しは考えるんじゃない？」

と、夕子が言った。「ね。何か食べて帰ろうか」

「フン、何だってんだ」

一方の川田の方は、ちょっと周りを見回して、今の史代とのやりとりを、誰かに見られなかったか、気にしていた。

川田克郎が振られた、なんて！

そんなこと、あり得ない！　そうだとも。

ちょっと咳払いして、川田はいつも以上に真直ぐ背筋を伸し、暗くなった大学の構内を颯爽と歩いて行った。——口笛さえ吹きながら。

2　被害者

「ごめんね、夕子」

と、佐賀史代が言ったので、夕子は当惑して、

「何が？　私の方こそ、コンサート、タダで行かせてもらって申し訳ないのに」

と言った。

その会話は、晩秋の風がいくらか肌寒い中、ホールの出口で待っていた私の耳にも入って来た。

夕子は私に気付くと、

「あ、早かったのね」

と、手を上げてみせた。

「あ、宇野さんですよね」

と、佐賀史代は私を見て、「前に一度――」

「ああ、会ったことがあるね」

と、私は言った。「今夜は夕子、とても楽しみにしていたよ」

「でも――急に夕子のこと、誘っちゃって。すみません。デートの邪魔しちゃったんで

すよね、私」

「構やしないわよ」

と、夕子は言った。「ね、史代、一緒にパスタ、食べない?」

「え?　でも、悪いわ。お二人の邪魔をして……」

「大丈夫。そういうパターン、慣れてるの、この人」

と、夕子は私の肩を叩いて、「何といっても、もう四十歳。しかも警視庁捜査一課の警部ですもの!」

私の肩書とパスタとどういう関係があるのか、よく分らなかったが(たぶん、夕子も分っていなかったと思うが)、結局、私たちは三人で、少し遅い時間まで開いているパスタの店に入ることになったのである。

「つまり、私は代役ってわけね」

と、夕子が言った。「史代、ほら、ラザニアを取って」

「でも、良かった、夕子と行けて」

と、史代は食べながら、「隠しても仕方ないから言うけど、川田君と一緒だと、凄く疲れるの、コンサートって」

「どうして?」

「まるきり関心ないから、川田君。いつも始まるとすぐ寝ちゃう」

と、史代は言った。「ただ寝るだけならいいけど、寝息が凄いの。参っちゃう」

「その川田っていうのが、例のW大講堂での出来事の本人だね？」

と、私は訊いた。

「ええ、そうです」

と、史代はちょっと顔をしかめて、「夕子から聞いたでしょ？　本当に恥ずかしい！」

「まだ怒ってるんだ」

と、夕子が言った。

「当り前よ。もう絶対に付合わない、って宣言したのに、まだ私が何をそんなに怒ってるか分ってないみたい」

「仕方ないよ。お互い、どうしたって分り合えない人間っているもんよ」

と、夕子が大人びた意見を述べた。

すると――。

「何だ、佐賀君じゃないか」

と、声がした。

ちょっと派手めのジャケットの男。たぶん私と同世代と思われる。

「あ、宮里(みやざと)先生」

「何だ、永井君も一緒か」

と、その「先生」は私を見て、「お父さん？」

と訊いた……。

——W大の教授、宮里は、

「いや、失礼。さすがに、捜査一課の警部さんで、落ちついて、風格がおありなので、てっきり……」

「いいですよ、先生。言いわけしなくても」

と、夕子が言った。

W大の学生でもない夕子のことを知っているのは、史代について、ちょくちょく宮里のゼミに勝手に参加しているから、ということだった。

「先生、連れは？」

と、史代が訊いた。

「うん……。立川（たちかわ）君と待ち合せてるんだが」

「立川って……立川知子（ともこ）？」

「そうさ。僕の数少ない話し相手だ」

と、とりあえず我々のテーブルに加わった宮里は言った。

「知子は秀才だものね。しかも美人だし」

「確かにな。食事でもおごらないと、時間を取ってくれないよ」

カラッとして、いやみのない口調だ。史代が気軽な口をきくのも分るようだった。

「おっと、失礼」

私はポケットのケータイがマナーモードで震えたので、席を立った。

こんなときに、原田刑事からだ。

「——何かあったのか」

と、半ばため息と共に出ると、

「もう夕子さんとの食事は終りましたか?」

と、変に気を回す原田である。

「途中だ。どうでもいい。何だ?」

と、私は原田の言葉に耳を傾けた……。

そして席へ戻ると、

「申し訳ないが、失礼しないと」

と言った。

「事件?」

「女子大生専用マンションで、女子学生が殺された。それが——W大生だということだ」

私は言いにくかったが、「どうやら、立川知子さんという名前らしい……」

黙っているのも、却って良くないかと思ったのだが——。

「え……。知子が？」

と、史代が目を見開いて、「そんな……」

「大丈夫ですか？」

と、夕子が訊いたのは、宮里教授だった。

宮里は、言葉を発することもできない様子で、パクパクと口を開けたり閉じたりしていた。史代も気付いて、

「先生！　しっかりして！」

と、宮里の肩をつかんで揺さぶった。

数秒して、宮里はハッと我に返ったようだったが、今度は、

「知子が……殺された……。そんなことが……。まさかそんなひどいことが……」

と、ブツブツ呟き始めたのだ。

「先生。——知子のこと、好きだったの？」

と、史代が言うと、

「もう……僕には生きる希望がない。生きている意味もない」

と言って、宮里はいきなり史代の腕をつかんだ。

「先生——」

「佐賀君！　僕を殺してくれ！」

「やめてよ、先生！　そんなこと、できるわけないでしょ！」

史代があわてて宮里から離れる。

どうやらこの教授、本気で立川知子という学生に惚れていたようだ。

「ともかく、現場へ行かなくては」

と、私は言った。「何か分りましたら、お知らせしますよ」

「私も行く」

と、夕子が立ち上ると、

「夕子！　待ってよ！」

と、史代がすがるようにして、「私を一人で置いてく気？」

「だけど――」

夕子としては、「殺人事件」となれば、当然、私と一緒に駆けつけることになっているのだ。しかし、確かに、この教授と二人で残される史代の気持も分るというもの。

ところが、思いもかけないことになったのである。

夕子と史代がもめていると――。

「遅くなっちゃって、ごめん！」

と、レストランに入って来た女の子がいた。

「あれ？　史代じゃない。何してんの？」

史代が呆然として、

「知子！」

と、声を上げた。「本当に知子？」

これが立川知子？　ということは――。

「宮里先生、どうしたの？」

と、その女の子が面食らった様子で、「史代と何かあったの？」

「君……知子……」

と言ったきり、宮里はその場に引っくり返ってしまった。

「――気絶してる」

と、夕子が宮里のそばへ寄って、「こうなったら、全員で殺人現場に行くしかないんじゃない？」

「殺人現場って何のこと？」

知子は、わけが分らない様子で、立ちすくんでいた……。

「ちゃんと、被害者の身許を確認しろ！」

と、私が怒鳴ると、原田刑事は頭をかいて、

「すみません」

と言った。「でも、こいつが間違いないって言うもんですから」

原田の言う「こいつ」は、見たところ原田の半分くらいしかない小柄な男で、「どうして俺が叱られるんだ？」と言いたげだった。

「だって、この部屋で死んでりゃ、この部屋の子だと思うじゃないか」

と、口を尖(とが)らす。

この女子大生専用マンションの管理人は沼田(ぬまた)といった。五十がらみのパッとしない男である。

「住んでる子の顔が分らないのか？」

と、私が訊くと、

「あのね、朝八時から夕方の五時までは、フロントに女性が二人いるんだ。でも、五時過ぎると、俺みたいな夜間スタッフが一人でいることになってんだ。住んでる子とも、話なんかしないし、誰が誰やら分りっこねえよ」

言われてみれば、そうかもしれない。

一つ一つの部屋はそう広くないが、各部屋にバストイレが付いている。

そして、そのバスルームで、女の子は殺されていたのだ。

「お風呂に入りかけてたのかしらね」

と、夕子が言った。

女の子は、服を脱ぎかけだったようで、バスタブの手前に座り込むように倒れて、死んでいた。

首に深々と紐が巻きついている。

「じゃ、これは誰なんだ？」

と、私は言った。

「本来のここの住人に訊いてみる？」

と、夕子が言った。

「そうだな。ここで風呂に入ろうとしてるくらいだ」

しかし、夕子はともかく、死体を見慣れていない（それが普通だ）女子大生には、ショックが大きいだろう。

「あの教授はどうだ？」

と、私は言った。「もしW大の学生なら――」

というわけで、原田が、宮里を連れて来た。

「いや、先ほどは……」

と、恥ずかしそうな宮里へ、

「この女の子が誰か分りますか？」

と、私は訊いた。

宮里は、紐で絞殺された死体へ目をやったが――。大きく目を見開いたと思うと、また気絶して引っくり返ってしまったのだった。

3 人選

結局、被害者を確認したのは、この部屋の本来の住人、立川知子だった。

殺されている女の子を見て、ちょっと青ざめはしたが、

「――さつき」

と、すぐに言った。「谷原さつきです、この子」

「同じW大生？」

と、夕子が訊いた。

「ええ。同じゼミに入ってたりして、仲良くしてます」

と、立川知子は肯いた。「ひどいことして……。誰がこんなこと」

バスルームを出ると、気絶していた宮里が、知子のベッドでやっと起き上ったところだった。

「いや……すみません」

と、すっかりしょげている。

「先生、分らなかったの？」

と、知子が言った。「あれ、谷原さつきですよ」

宮里は目をパチクリさせて、

「谷原君？　――そうか。いや、ああいう状態だったんで、顔をよく見なかった……」

「状態、だなんて。殺されたのよ。可哀そうだと思わないの？」

知子が食ってかかるように言って、宮里は、

「いや、すまん！　僕に思いやりが欠けていた。許してくれ！」

と、平謝り。

知子は、

「いえ……。ごめんなさい。私の方も、動揺してて」

その様子を見ていた夕子と史代だったが、

「なかなか素直な先生ね」

と、夕子がそっと言って、

「うん。いいとこある。ちょっと見直した」

今は教授も楽ではないようだ。

「――いつも、谷原君はメガネをかけてただろ？　そのせいもあって……」

と、宮里が言った。「言いわけするんじゃないが」

「ああ、そうね」

と、知子は言った。「ゼミのときは、いつもメガネかけてたから、さつき。でも、普段はかけてなかったんですよ」

知子は、自分の勉強机に目をやって、「そのバッグとメガネ、さつきのです」

と言った。

バッグから、確かに〈谷原さつき〉の学生証や、ケータイが出て来た。

「しかし、あの様子を見ると、彼女は風呂に入ろうとしていたように見えるがね」

と、私は言った。

「ええ、さつき、よくここでお風呂に入ってたんです」

と、知子は言った。

「どうして？」

「さつきは、このマンションから数十メートルしか離れていないアパートに一人で住んでて」

と、知子は言った。「お家(うち)からの仕送りがほとんどないので、さつき、アルバイトしたり、大変でした。アパートも、とても古くて、家賃は安いけど、お風呂が共同だったんです。一度、雨の中、転んで泥だらけになったとき、私、ここでお風呂に入らせたんです。そしたら、さつき……」

と、ちょっと声を詰らせて、

「涙ぐんでて。――一人でゆっくりお風呂に入れて、とっても嬉しかったらしいんです。それで、私、『いつでも入ってっていいよ』って言いました」

「それで……」

「『悪いけど』って言いながら、週に二回ぐらいは、ここのお風呂に。私、さつきに鍵を一つ渡して、好きなときに入って、って言ったんです。でも……」

と、知子は表情をくもらせて、「まさか、そのせいで殺されたなんてこと……」

「そんな風に考えないで」

と、史代が言った。「知子が自分を責める必要ないよ」

「そうだとも」

と、熱い口調で言ったのは宮里だった。「立川君！　君は本当にいい人だ！」

「先生……。泣いてるの？」

感激したらしい。気絶したり、泣いてみたり、忙しい男だ。

「――誰か怪しい人間を見なかったかね？」

と、私は管理人の沼田という男に訊いた。

「見てません」

と、沼田は首を振って、「ここは女子大生専用のマンションで、男性は入れないんです。訪ねて来たら、下のロビーで話をするようにさせてます」

「でも、夜中とか、こっそり入って来る男子学生がいるって聞いたけど」

と、知子が言うと、

「とんでもない！」

と、沼田は口を尖らして、「私たちが一晩中目を光らせてるんです！　その安心感があるから、ご両親も高い部屋代を出しておられるんです！」

と主張した。

「でも、〈非常口〉とか、ないんですか？」

と、夕子が訊くと、

「廊下の突き当りです」

と、沼田は廊下へ出て言った。

確かに、正面の突き当りに〈非常口〉という文字が灯っていて、両開きのドアがある。

「あのドアは外からは絶対に開かないようになっています！」

と、沼田は胸を張って言った。

すると――そのとき、カチャッと音がして、〈非常口〉のドアが開いたのである。当然、外から開けられたのだ。

沼田が唖然として、

「そんな……」

と呟く。

そして、そのドアから入って来たのは、ブレザー姿の男性だったが……。

「まあ」

と、史代が目をみはって言った。「川田君だわ」

「――え？」

目の前にズラッと人が並んでいるのを見て、

「僕のこと、出迎えてくれてるのかな？」


「結局……」

と、私は言った。「〈非常口〉の鍵がいくつも複製されて、男子学生が好き勝手に出入りしていたってことだ」

「そんなものよね」

と、夕子は言った。

午後、私と夕子はコーヒーの専門店に入っていた。

「あのマンションを管理してる会社は大変らしいぞ。絶対に男が入れない、というんで、高い部屋代を払って娘を入居させたのに、どうしてくれる、って怒りの声が殺到してるそうだ」

「気持は分るけど、いくらだって外で会えるんだし。もう大学生なんだものね」

と、夕子が言った。「四十男の刑事さんと付合ってる女子大生もいるんだから」

「何か都合が悪いかい?」

「いえ、別に」

と、夕子がとぼけて「あ、史代、ここよ!」

佐賀史代が店に入って来たのだ。

「いつもお邪魔して、ごめんなさい」

と、史代は私たちのテーブルに加わった。

そして、深々とため息をつくと、

「夕子、宇野さんも、谷原さつきのお通夜に来てくれてありがとう」

と、小さく会釈した。

「私はよく知ってたわけじゃないけど……。でも、ご両親が気の毒だったわね」

「何て言っていいか、分らなかったわ」

と、史代は言った。「宇野さん、犯人の見当はついたんですか?」

「いや、まだだ。――しかし、必ず逮捕してみせるよ」

と、私は言った。

「問題は、犯人が、立川知子がいると思って、あの部屋へ入り込んだのか、それとも谷原さつきさんがいると知っていたのか。——あるいは、女の子なら誰でもいいと思って入ったのか……」

谷原さつきの死体を発見したのは、あのマンションに入っている女子大生の一人で、立川知子に辞書を借りようとして、あの部屋を訪ねたのだった。

しかし、返事がなく、ドアに鍵がかかっていなかったので、中へ入ってみて、谷原さつきの死体を見付けたのだ。

それが誰なのか分らないまま、その女子学生はフロントへ駆けつけ、沼田へ知らせた、ということだった。

「〈非常口〉の鍵を持っていた男が、何人ぐらいいたのか、誰も怖がって名のり出ないんで、分らないんだ」

と、私は言った。

「鍵は取り替えたんでしょうね」

と、夕子が言った。

「それはそうだろう」

「じゃあ……」

と、夕子は考えながら、「一つ、やってみたいことがあるの」

4 現われた男

マンションの地下駐車場は、薄暗かった。

男は一人、待っていた。

「――畜生(ちくしょう)」

と呟く。「呼び出しといて、遅いじゃねえか」

深夜。人気(ひとけ)はなく、静かだったが――。

靴音がして、やがて人影が一つ、近付いて来た。

「――人を待たせて」

と、沼田は言った。

やって来た男は少し手前で足を止めた。

「だめですよ」

と、沼田は言った。「今はまだ。散々油を絞られて、何とか言い抜けたんだ。新しい鍵になったばかりだし、それにね、今度のは電子ロックで、コピーは容易じゃない。まあ、諦めて下さい」

相手は黙っていた。

沼田は続けて、

「そりゃ、金はほしいですよ。何しろ、一晩中起きてるって重労働なのに、安月給ですからね」

と、肩をすくめて、「でも、クビになっちゃ、元も子もねえ」

カチッと音がした。

沼田は男を見て、目をみはった。

「そんな……ナイフなんか持って、どうしようってんです！」

沼田は後ずさって、「しゃべっちゃいないじゃないですか！　どうして俺を――」

ナイフを手にした男が沼田へと近付く。

そのとき――駐車場に光が溢れた。

「――そこまでだ」

と、私は進み出て行った。「ナイフなんか、使ったこともないだろう？　捨てるんだね、川田君」

青ざめて、あの「軽い学生」の川田克郎がナイフを足下に落とした。

「沼田さん」

と言ったのは夕子だった。「あなたに呼び出しのメモを届けたのは、私」

「何ですって?」

「あなたに、『新しい〈非常口〉の鍵を売ってくれ』と頼んだ。——前の鍵だって、初めに誰かが持ち出さない限り、コピーできないでしょう。あなたは当然疑われたけど、証拠はなかった。でもね、実は——」

「鍵のコピーを作った人間は分ってたんだ」

と、私は言った。「しかし、目的は谷原さつきさんを殺した人間を見付けること。だから、分らないということにしておいた」

「私は……」

と、沼田は首を振って、「人殺しなんかしちゃいませんよ!」

「それを確かめたかったの」

と、夕子は言った。「それで、川田君の方へ、あなたの名前で、『口止め料を払え』ってメモを届けた」

今どきのメールのやりとりなどは、どう削除しても後で復元できる。一番安全なのは、紙のメモでやりとりして、読んだら焼くか、破ってトイレに流す。

原始的なやり方がいいのである。

「僕は……」

川田は立ちすくんで、「殺すつもりはなかったんだ……」

「沼田さんがやったのかと思ったわ」

と、夕子は言った。「さつきさんが一人でやってくるときは、必ず知子さんの部屋でお風呂に入ると分ってた。知子さんは、宮里先生と出かけると、友達にもしゃべっていて、沼田さんは小耳に挟んでいた」

「当然、部屋の鍵も開けられるしな」

と、私は言った。「こっそり中へ入ったが谷原さつきさんはまだお風呂に入っていなかった。——知子さんが遅くなると分ってたから、自分のアパートとはまるで違う、きれいな部屋で寛(くつろ)いでいた」

「あなたは、玄関の上り口に隠れて、息をひそめていた。その内、やっとさつきさんがバスルームに入って行くのが分った」

と、夕子は言った。「でも、そのとき、川田君がやって来たのね。沼田さんに気付かないまま、バスルームへ行って、さつきさんを殺した……」

「どうしてなの！」

と、史代が問い詰めるように、「谷原さんが何をしたっていうの？」

川田は冷汗で顔を光らせながら、

「——君のせいだ」

と言った。

「私の？」

と、史代が目をみはって、「どういうこと？」

「君が、そんな真面目人間でなかったら……。僕の、馬鹿げた質問一つで、僕のことを振ったりしなければ……」

川田は平板な声で言った。「君は僕を振った。そんなこと、あっちゃいけないことなんだ。僕が女の子に振られるなんて……」

「振ったからどうだって言うの？」

「大学の構内はもう暗くて、気が付かなかった」

と、川田は言った。「君が僕を怒鳴りつけて、立ち去るのを、見てたんだ、さつきは。しかも、メールを読んでいて、ケータイを手に持ってたんで、僕が振られるところを、撮ってたんだ」

「じゃあ……」

「あんな、もてない女は、きっと僕が振られたことを、みんなに言いふらす、と思った。絵がなきゃ、ひがんで、嘘ついてるだけだって言えるけど……。あいつは動画を撮ってた」

「どうして知ってるの？」

「見られてたと後で気付いたから、あいつのケータイをこっそり盗んで、中を見たんだ。

消去したけど、どうせパソコンにでもコピーしてるだろう。そして――さつきから、『会いたい』って言って来た。何とか口をふさがなきゃ、と思ったんだ」

「振られたと知られたくなかった？　そんなつまらない理由で、さつきを殺したの？」

と言ったのは、知子だった。「さつきがあなたをゆするとでも思ったの？　あの子はそんな子じゃない！」

「君はお嬢さん育ちだからな」

と、川田は口を歪（ゆが）めて笑った。「だけど、あいつは僕を脅迫しようとしてた。そうに決ってるんだ！」

「それはあなたがそういう人だから」

と、夕子は言った。「他の人も同じとしか思えないのね」

「さあ、来るんだ」

と、私は川田の腕を取った。

「分らないんだ、他の連中には」

と、川田は言った。「イメージを守る。僕にはそれが何より大切だってことが……」

原田がやって来て、川田に手錠をかけた。

「さつき……」

知子が声を殺して泣いていた。

そこへ、

「知子……」

と、声がして、宮里教授がやって来た。

「先生──」

「聞いていたよ。──宇野さん、大学の教授として、あんな風に学生を育ててしまった責任を感じます。申し訳ない」

「先生……」

知子が、宮里にしっかり抱きついた。

「──宮里先生は独身」

と、史代が言った。「知子、卒業まで、ゆっくり考えて。宮里先生でいいのかどうか」

「もう充分考えた！」

そう言って、知子は宮里にキスすると、二人は腕を組んで立ち去った。

史代は首を振って、

「人はいつも冷静でいるのがいいとは限らないのかもね」

と言った。「夕子もそう思う？」

「さあね」

と、夕子は言って、「肝心なのは、人それぞれ、ってことよ。──ね？」

そう言って、夕子は私に軽くウインクしてみせた……。

ゆく年くる年

1　年の終りに

　十二月三十日の夜遅く、あと一時間足らずで大晦日になるというときには、

「もう一年も終りだな」

と言ってもいいだろう。

　そのとき、私は実際そう思っていたのだし、恋人の永井夕子に向って、そう言っていたのである。夕子の方でも、

「今年も、何とか生き延びたわね」

と肯いていたのだから、私たちは平穏な年末を迎えていたのだった。

　もちろん、大晦日だって元日だって、犯罪は起る。警視庁捜査一課の警部である私、宇野喬一にも、そんなことは分っている。

　しかし、警視庁に刑事が一人もいなくなるわけでは、もちろんなくて、私より若手で

だ。元気のいい刑事たちが、殺風景な捜査一課で暮れから新年を迎えることになっているの

「今年はTVに出ることはなさそうね」

と、夕子が言ったのは、私が成り行きで、大晦日の国民的歌番組「赤白歌合戦」の審査員をさせられた上に、その場で事件に巻き込まれたことを言っているのである。

もちろん、今年はそんなことは起きない。特に、こんな都心のホテルの最上階のバーで、地上のイルミネーションを眺めながら、夕子と二人、カクテルを飲んでいるときには、何も変ったことなど起るわけがない……。

「おいしいわ、このカクテル」

目の周りをほんのり赤くしながら、夕子が言った。「もう一杯いただこうかしら」

「いいね。――君」

通りかかったウエイトレスを呼び止める。

「――同じものでございますね。かしこまりました」

二十歳そこそこらしい、ふっくらとした丸顔のウエイトレスだった。どう見ても垢抜けているとは言えないが、ウエイトレスの制服がよく似合う、感じのいい女性だ。

そのウエイトレスが、すぐに夕子のカクテルのお替りを運んで来て、

「そちら様は何かよろしいですか?」

と、私のグラスが空になっているのを見て言った。

「うん。僕はもういい。冷たい水をくれ」

と、私は言った。

これ以上飲んだら、眠ってしまいそうだ。せっかくの夕子との一夜だというのに……。

夕子はまだ女子大生だが、こちらは四十男。日ごろの刑事稼業は楽ではないのだ。

ウエイトレスが氷の入った水のグラスを持って来てくれた。

「やあ、ありがとう――」

と、言いかけたときだった。

バーの入口から、窓際の私たちのテーブルに向って、真直ぐにやって来る男が目にとまった。

その足取りが普通ではなかった。走っているわけではないが、大股に勢いよく歩いて来る。

私はその男の顔を見ても、誰なのか分らなかった。どこかで会ったことがある。しかし――。

男は私たちのテーブルの数メートル手前で足を止めると、はおっていた、あまり上等とは言いかねる上着の下から拳銃を取り出したのである。

「宇野！」

と、男は呻くような声を出した。

銃口は真直ぐ私を狙っている。そのときになって、やっと思い出した。

「安原か！」

しかし、もう男の指は引金にかかっていた。逃れる余裕はない。

そのとき、夕子が氷の入った水のグラスをつかむと、男に向けて思い切り水をかけた。離れていたので、水は男の胸辺りを濡らしただけだったが、氷が男の顔に当って、一瞬、男はたじろいだ。

私は椅子を後ろへはねのけて立ち上った。だが、男が引金を引くのを止めることはできなかった。銃声が広いフロアに響き、銃弾は当然私の体に当っている——はずだった。

だが、そのとき、私の前に飛び込んで来たのは、私に水のグラスを渡して戻りかけていた、あの若いウエイトレスだった。

「危い——」

と言ったのが、そのウエイトレスだったか、夕子だったか、後になってもよく分らなかった。

銃弾を受けて、ウエイトレスの体は私の方へと倒れて来た。私はそれを受け止めたが、彼女の体は、ズルズルと床へ崩れるように落ちて行った。

撃った男は、目の前で起ったことが信じられないようで、一瞬呆然と立ちすくんでい

たが、上ずった声で、

「何だよ。こんなこと！」

と叫ぶと、駆け出して行った。

「追いかけて！」

と、夕子が言った。「ここは私が」

しかし、私は腕の中のウエイトレスを離すことができなかった。

「奴は後でいい！　救急車を！」

と、私は言った。

「分ったわ」

夕子は、何事が起ったのか分らずに立ちすくんでいるバーのマネージャーの方へ駆けて行って、

「救急車を！」

と言った。「それと、下のロビーに連絡して下さい。銃を持った男が下りて行くと」

夕子の言い方が落ちついていたので、却って対応は早かった。

マネージャーがフロントへ連絡する。――私は、床に座り込んで、ウエイトレスの体を抱いていた。

制服の右腹部が血に染っていた。

何てことだ……。俺の代りに、どうしてこんな若い女性が撃たれなければならないんだ？

夕子が戻って来た。

「出血は？」

「傷口に当てるタオルかシーツ、テーブルクロスでもいい」

「分ったわ」

夕子が他のウエイトレスに指示するのを、私はどこか遠い声のように聞いていた……。

2　兄と妹

〈皆川〉という姓だけは分っていた。

ウエイトレスが制服の胸に、プラスチックの名札を付けていたからだ。

彼女が〈皆川朋子〉という名だと知ったのは、救急車で運び込まれた病院でのことだった。

「二十一歳だそうよ」

と、夕子は言った。

「そうか。——弾丸は心臓をそれてると思うけどな」

二十一歳という若さ。体力もあるだろう。

「何とか助かってほしい」

と、私は言った。

「そうね」

夕子は、廊下の長椅子に、私と並んで座ると、「気の毒なことしたわね」

「全く……」

と、私はため息をついて、「刑事が、一般の人の代りに撃たれるのならともかく、逆に刑事をかばって、何でもない子が……。ひどい話だ」

「そんな言い方はよくないわ」

と、夕子が私の手を取って、「あなたが悪いわけじゃないんだから」

「ああ……。しかし、あの子の親はどう思うかな」

「それより、あの男、安原っていうの？　そう呼んでたわね」

「安原誠（まこと）というヤクザだ。といっても、幹部とかじゃない。上納金稼ぎに、高校生を脅して金をまき上げたりする、ケチな奴さ」

「どうしてそのヤクザに恨まれてるの？」

「それが分らないんだ」

と、私は首を振って、「命を狙われるほど恨みを買った覚えがない。大体、奴を見てもすぐには思い出せなかったぐらいだ」

「でも、何かあるでしょ？　実際にあなたの名前を呼んで撃とうとしたんだから」

「確かにな。しかし、いくら考えても思い当らない。奴は二年前に質屋に忍び込んで、金を盗んだ。せいぜい十万かそこらだったと思う。僕はたまたま安原を知っていて、顔が分るからというんで、逮捕に同行したんだ」

「そのときに何かあったの？」

「いや……。どうだったか、よく思い出せないくらいだ。確か、安原は妹と二人で暮らしてた。——そうだ。安原の五つ六つ年下のしっかりした妹で、逮捕に行ったときに……」


相当にガタの来たアパートだった。

担当の刑事たちと一緒に階段を上って行くと、スチールの階段そのものがミシミシ音をたてて、揺れたくらいだ。

朝で、並んでいる部屋の窓から、ミソ汁の匂いがしていた。

〈安原〉という表札は手書きで、その下に、〈誠・なつき〉と書き添えてあった。

玄関のドアを担当の刑事が叩くと、

「はあい」

と、女の声がした。

私は妹とも会ったことがあるので、まず顔を出すことにした。

ドアが開いて、丸顔の、眠そうな娘が出て来た。

「あ……。ええと……」

と、私の顔を見て、名前が思い出せなかったらしく、首をかしげている。

「宇野だよ」

「あ、そうだ。宇野さんだっけ。——何のご用？」

他にもいるのを見て、ちょっと不安そうに言った。

「兄さんはいるか？　ちょっと呼んでくれ」

「寝てるわ。こんなに早く起きることないもの。——お兄さんに何か？」

「まあね。本人はよく分ってるんじゃないかな」

と、私は言った。「騒ぎにはしたくない。おとなしくついて来てほしいんだ」

私の言葉を聞いて、なつきの表情がこわばった。そして、じっと私を見ると、

「誰かにけがさせた？」

と訊いた。

「いや、金を盗っただけだ」

「起してくるわ」

となつきは言って、部屋へ上ると、「——兄さん！」と怒鳴った。

「起きて！——目を覚ましなさいよ！」

なつきに叩き起こされて、安原誠が目をこすりながらフラッと出て来ると、

「あ……。やべえ」

と、呟くように言って、ランニングシャツとパンツだけの格好で、あわてて窓の方へ駆け出した。

「おい！　よせ！」

と、私は怒鳴った。

いくら二階だからといって、窓から飛び下りたら——。

止める間もなかった。窓から安原の姿が消えて、下で、「ワーッ！」という叫び声がした。

「兄さん！」

なつきが窓から下を覗いて、「大丈夫？」

私たちが、急いで一階へ下り、窓の下へ回ってみると、安原は山と積まれたゴミ袋の中に埋れていた。

安原を引張り出すと、ゴミの中のガラスびんのかけらで足を切って血が出ていた。

「いてえ……。血が……」

と、泣き出した。

やって来たなつきが、

「全くもう！」

と、顔を真赤にして、「少し稼いで来たと思ったら、盗んだお金だったのね！」

と言うなり、兄の顔を平手打ちした。

「何するんだ！　いてえじゃねえか！」

「馬鹿ばっかりするからでしょ！　私がちゃんと働いてるんだから、少々のお金なんか盗んでどうするの！」

「だってよ……もっとあると思ったんだ」

と、安原は言いわけして、もう一度妹に殴られた。

救急車を呼ぶ間、私が止めなかったら、なつきはもっと兄を殴っていただろう。

そして、担当の刑事に、

「よろしくお願いします！　兄にはもう二度とこんなこと、させませんから！」

と、深々と頭を下げていた。

そのなつきの様子には、兄思いの気持が溢れていた……。

「しかし、コソ泥とはいえ、三度めだったからな」

と、私は言った。「実刑はやむを得なかった。二年入っていたはずだ」

「じゃ、出所したばかりってこと?」

「おそらくな。あのとき以来、会ってなかったし、安原も少しやせてたからな。すぐには分らなかった……」

そこへ、看護師がやって来た。

「宇野さんですか。今、先生が」

私たちは立ち上った。


アパートの前に、原田刑事の大きな体がコートをはおって立っていた。

「やあ、すまんな、大晦日に」

と、私は言った。

「いえ、どうせ暇ですから」

大晦日の早朝、アパートはまだ静まり返っていた。

「撃たれた子は……」

と、原田が言った。

「一命を取りとめたよ。本当に良かった」

と、私は言った。

「夕子さんもご無事で良かったです」

と、原田が言った。

「ありがとう」

と、夕子が言った。「この二階？」

「うん」

と、私は肯いて、「ここへ安原が帰って来ているとは思えないが」

「俺がここへ来てからは、誰も出入りしていません」

と、原田が言った。

「ともかく、行ってみよう」

凍える様な朝だった。

大晦日だ。誰も起きていないだろう。

二階へ上り、〈安原〉という表札のあるドアの前に立つ。——そう、ここだったと思い出した。

チャイムを何度か鳴らしたが、返事がない。ドアを少し強く叩いてみた。

すると、隣のドアが開いて、

「何かご用？」

と、ボサボサの髪の女性が顔を出した。

「朝っぱらからお騒がせして」

と、私は言った。「この部屋の女性は……。警察の者です」

その女性はちょっとふしぎそうに、

「警察の人が知らないの？」

と言った。

「というと――」

「そこのなつきちゃん、死んだわよ」

私と夕子は顔を見合せた。

「知らないなんて変ね。大変だったのよ、なつきちゃん、可哀そうに首を吊って」

「自殺したんですか？　いつです？」

「一週間ぐらい前かしら。なつきちゃん、いい人だったのにね」

と、その女性は言った。「私、風俗の店で働いてるんだけど、なつきちゃんはいつも仲良くしてくれてたわ」

「――そうですか」

私はやっと立ち直って、「他にここを訪ねて来た人間はいませんでしたか？」

「さあね。何しろ、生活時間が普通の人と違うんでね」

と、その女性は肩をすくめた。

「分りました。どうもありがとう」

「いいえ。どうせこれから寝ようとしてたところだから」

と、女性は欠伸(あくび)をして、「なつきちゃんが誰のせいで死んだのか、調べてあげてよ。ねえ」

「調べますよ」

と、私は言った。

「ねえ、男なんて、みんな同じよ。私みたいな商売してると、男に幻想なんか持たなくなるわね」

「それは――なつきさんが自殺したのは男のせいだと?」

「きっとそうよ」

「どうしてそう思うんです?」

と、夕子が訊いた。

「前の日の夜、なつきちゃんが帰って来るのに会ったの。髪も服も乱れてた。青ざめて、半分放心したようで……。男にやられたんだな、って思った。もちろん、そうは訊かなかったけど。あのとき、声をかけときゃ良かったわね……」

女性はちょっと涙ぐんでいた。

3 迷路

「やあ、宇野さんか」

立派な応接室に入って来たのは、ガウンをはおった初老の紳士だった。

「大晦日にお邪魔してすみません」

と、私は言った。

「いや、どうせすることもないしね」

河田(かわだ)は、私の旧知の弁護士である。

「何か急な用で?」

「実は……」

私は、安原誠に狙われたこと、安原の妹のなつきが自殺したことも話して、

「──なつきさんの自殺について、担当の者に訊いたら、河田さんが遺体を引き取られたと聞いて」

「そうなんですよ。可哀そうなことをした」

と、河田は首を振って、「兄の安原誠の弁護を担当したのでね。あの妹にも会っていたから、放っておけなかった」

「自殺のいきさつについて何か？」

「いや、詳しいことは分らない。ともかく、安原が仮釈放になると決って、その連絡が入ったんで、あの子に知らせてやったら、とても喜んでね。電話口で泣いてるのが分った。——まさか、そのすぐ後に自殺するとは思いもしなかったよ」

と、河田は言った。「自殺のことを、担当の刑事から知らせて来て、遺体の引き取り手がなくて困っているという話だったから、私の方で、簡単にだが、お葬式も出したんだ」

「安原からは何か？」

「いや、私の方には何も。まさか宇野さんを殺そうとするとはね」

「理由が思い当らないんですが」

「そうだねえ。——たぶん、何か思い違いをしたんだろう。しかし、仮釈放されて、そんな傷害事件を起こしたら、今度はただじゃすまないな」

「安原としては、たぶん河田さんを頼りにしてると思います。もし連絡があったら——」

「もちろん、知らせるよ。当人にも自首をすすめよう」

「お願いします。——では、これで」

と、私は立ち上った。

玄関へ出ると、河田の奥さんが、

「まあ、お構いもしませんで」

と、やって来た。

「いや、とんでもない。お邪魔して恐縮です」

私は、記憶より大分老けた夫人に詫びを言って、河田家を出た。

――表の車で待っていた夕子と原田に、河田との話を伝えて、

「安原がどうして僕を殺そうとしたのか……」

と言った。

夕子が、

「あのアパートの隣の女の人が言ってたじゃないの」

と言った。「『男にやられた』んだろう、って。自殺の原因がそうだとしたら、安原はあなたがなつきさんに何かしたと信じ込んだのかもしれないわ」

「冗談じゃないぜ。僕がどうして――」

「もちろん分ってる。でも、あなたを殺そうとするなんて、よほどのことでしょ」

「これからどうします？」

と、原田がハンドルに手をかけて言った。

私は少し考えて、

「――〈R商事〉のオフィスへやってくれ」

と言った。

原田がびっくりして振り向くと、

「〈R商事〉ですか？　本気ですか」

「ああ、安原はあそこの身内だった。話したい相手がいる」

と、私は言った。

「商事会社に行くの？」

と、夕子が意外そうに言った。

「表向きだ。実際は安原のいた組の事務所なのさ」

「それで、大晦日も人がいるのね」

「ああ。ヤクザも年中無休だからな」

と、私は言った。

その男は、やはりオフィスにいた。

「宇野さん、来ると思ってましたよ」

と、西川（にしかわ）は言った。

もう五十代の半ばになる男で、この組を事実上取り仕切っている。一見したところ、ごく当り前のビジネスマンだ。

私と一緒に入って来た夕子を見て、

「これはこれは。女子大生名探偵の永井夕子さんですね」

と、西川は言った。

「よくご存知ですね」

「宇野さんの彼女だ。しっかり頭に入れておきませんとね」

まあ、どうぞ、とソファをすすめる。

向い合うと、話を切り出すより早く、若い子分がコーヒーを運んで来た。

「——話は分るだろう」

と、私は言った。「安原のことだ」

「確かに」

と、西川は肯いて、「とんでもないことをやらかした。こちらの目が届かず、申し訳ありません」

「聞いてるか、犯行の動機を」

「さあ……」

「はっきり言ってくれ。安原はここへ来たんじゃないのか」

「宇野さん——」

「仮釈放で出たばかりの安原が、拳銃を手に入れようと思えば、ここへ来るしかないだろう」

私の言葉に、西川は少し迷っている様子だったが、

「宇野さんのことだ。嘘はつきたくない」

「正直に話してくれ。ここへ来たのか」

と、私は身をのり出した。

「来ました。しかし、銃は渡していないんです」

「じゃ、話をしたのか？　俺のことを何か言ってたのか」

西川は、ゆっくり肯いて、

「殺してやる、と言ってました。『妹が自殺したのは、宇野に無理矢理手ごめにされたからだ』と」

「そんなことはしていない」

「分ってます。俺も宇野さんのことはよく知ってる。そんな真似をする人じゃない」

「そう言ったのか」

「ええ、頭を冷やせ、と言ってやりました。宇野さんのことはもう長いこと知ってるが決してそんなことはしない人だ、とね」

「それで――」

「安原は信じなかったんです。何を言っても、『宇野を殺る！』の一点張りで、拳銃を

くれと頼んで来ました。しかし、それは断りました。もしうちの銃で事件が起きたら、それこそとんでもないことですからね」

「それで、安原は？」

「怒って出て行きました」

と、西川は言った。「止めるべきだったでしょうが、あまりの勢いに、どうしようもなくて」

「じゃ、安原はどこで拳銃を手に入れたんだ？」

「分りません」

と、西川は言った。「本当です。安原も、以前は組の人間でしたから、どこへ行けば銃が手に入るか、知ってたんでしょう」

私はしばらくじっと西川を見つめていたが、やがて、

「――分った」

と言って、立ち上った。「安原はまだ逃げ回ってる。もし、ここを頼って来たら――」

「自首するように言い聞かせますよ」

と、西川は肯いて、「それが当人のためですからね」

――私たちが外へ出ると、辺りは暗くなり始めていた。

「どうしましょう」

と、原田が言った。

「お前はもう帰ってくれ」

と、私は言った。「年が明けちまうぞ」

「——ねえ」

と、夕子が言った。「安原はいつ仮釈放になったの?」

「三日前だ」

「妹さんが亡くなったことは知ってたでしょうね。でも、それがあなたのせいだと、どこで聞いたのかしら?」

「うん……。そうだな」

私は少し考えて、「そんな話をできるのは……」

そして、私は言った。

「安原が入ってた刑務所に連絡してみよう」

「はあ、安原のことですね」

TV電話の向うで、制服姿の刑務官が言った。「確かに、出所する前の日に、面会に来た者がおりました」

「誰だったか分りますか?」

と、私は訊いた。

「調べます。お待ち下さい」

画面から刑務官の姿が消え、少し待ったが、じきに戻って来て、

「思い出しました」

と言った。「安原の弟分だった男で、宮田忠という者です」

「宮田……」

名前は聞いたことがあったが、顔は思い出せない。

「そのとき、安原に何か変った様子はありませんでしたか」

と、私は訊いた。

「面会のとき、人手がなくて、ずっと立ち会っていられなかったんですが、安原は何を聞いたのか、真青になって、今にも倒れるかと思うようでした」

「その翌日に出所したんですね？」

「そうです」

——明らかだ。

宮田という男が、安原に妹の自殺の原因を教えた。私が妹を手ごめにした、というでたらめを。

「——その宮田という奴を見付けよう」

と、私は電話を切って言った。

「宮田なら知ってますよ」

と、原田が言った。

「そうか！　どこに行けば会える？」

「ええと……。何とかというバーのホステスと同棲してまして。行ってみましょう。場所は分ります」

「ありがとう！」

私は原田の肩を叩いて言った。


バーは閉っていた。

大晦日だ、当然だろう。

しかし、安手な作りの二階建の二階の窓からは明りが洩れていた。

「ホステスが二階に住んでるんです」

と、原田が言った。「たぶん宮田も一緒でしょう」

「よし、訪問してみよう。大晦日だろうが、関係ない」

安原が逃げて来ている可能性もある。

「ちょっと」

夕子が私をつついた。

閉った店の並ぶ通りを、コンビニの袋をさげて小走りにやって来る男がいた。寒さに首をすくめている。

「あいつか」

私も思い出した。宮田だ。この辺のチンピラで、会ったことがある。

「寒い寒い……」

と、やって来た宮田は、私たちを見て、パタッと足を止めると――。

「ワッ！」

と、あわてて逃げ出した。

「待て！」

私と原田は宮田を追って駆け出した。

まだ二十代というのに、体力のない宮田は、じきに息を切らして走れなくなってしまい、私はその首根っこをつかんで、

「おい！　安原はどこだ！」

と訊いた。

「待って下さいよ……。今どこなのか……知りません」

と、苦しそうに喘ぐ。

「安原に言ったのか。俺が安原の妹を手ごめにしたと」

「それは……」

「どうなんだ！」

胸ぐらをつかんで言うと、宮田は、

「分りました！」

と、ガックリ肩を落とした。「仕方なかったんですよ……」

「どういう意味だ」

「だって……そう言え、って脅されて。そうしないと、俺が刑務所に行くはめになるって……」

「誰にそう言われたんだ？」

「待って下さいよ。苦しくて……。あんまり走ったことないもんで……」

と、胸を押えて、「ああ苦しい……」

「いい加減にしろ！」

と怒鳴りつけてやると、宮田は首をすくめて、

「そう怒んないで下さいよ……。本当に俺……」

と言ったきり、目を見開いて、何も言わない。

「おい！　どうしたんだ」

「ちょっと」

夕子が私の腕をつついた。

「何だ？」

「変よ、様子が」

と、夕子が言うのと同時に、宮田は糸の切れたマリオネットみたいに地面に倒れ込んでしまった。

「どうしたっていうんだ、畜生(ちくしょう)！」

見えない相手に八つ当りしつつ、私は原田が救急車を呼んでいる声を聞いていた……。

4　細い糸

女は四十代の半ばに見えた。

髪が半分白くなって、化粧もしていないせいで、余計に老けて見えるのかもしれない。

「——宇野さん？」

と、病院の廊下をやって来ると、女は訊いた。

「ああ、あんたが、あのバーのホステスさんか」

「〈カホ〉っていうのよ」

と、女は言った。「忠は……」

「今、手当してる。心臓が悪かったのか？」

「ええ。医者から『急に走ったりするな』って言われてる。しかも寒いときにね」

「分ってるわよ。気の小さい子だったからね」

「こっちの顔を見て、自分で逃げ出したんだ」

「一緒に暮してたんだな？」

「そうだけど、年齢も私の方が十歳も上だし、恋人ってなもんじゃなかったの。大体、いつ心臓がキュッて行っちゃうか分んないんじゃ、怖くって抱かれもしないでしょ」

「あんたが面倒みてたのか」

「そういうことね。チンピラでも、組にいる以上はお金も必要でしょ。まあ何とかあの店でやっていけたからね」

弟のようなものだったらしい。

「宮田さんから何か聞いてない？　安原って人の妹さんのこと」

と、夕子が訊いた。

「ああ……。何だかそんな名前が出てたことは知ってるわ」

と、カホは言った。「ケータイで話してたからね。でも詳しいことは知らない」

淡々としてはいるが、宮田のことを心配していることは伝わって来た。看護師が通りかかる度に、不安げに目を向けていたのである。

「大晦日に、とんだことだったわ」

カホは、廊下の長椅子に腰を下ろした。

「宮田にどうしても訊きたいことがあるんだ」

と、私は言った。

「心臓に悪いことはよしとくれ」

と、カホは言った。「今じゃなくたっていいだろ」

「いや、急ぐんだ。安原が、まだ拳銃を持って逃げてる」

「話は聞いたけど、忠はそんな物騒なことに係り合わないと思うわよ」

そのとき、夕子が、

「宮田さんに、刑務所へ入るようなことはさせたくないでしょ？」

と言った。

「そんなの、当り前じゃない。それこそ心臓がもたないよ」

「じゃ、一つお願いがあるの」

と、夕子は言った。

「私に？　何をしろって言うの？」

カホはけげんな表情で訊いた……。

寒さが、コートを通してしみ込んでくるようだった。

もうじき、真夜中になる。日付が替り、年が替ろうとしていた。

公園も、さすがにこの時間、人影はない。

カホは自分の吐く息の白さに見入っていた。

やがて、公園へ足早に入ってくる足音が聞こえた。

カホとは大分違う、高級なコートをはおった女が、急いで近付いてくると、

「あなたね?」

と言った。

「ええ」

と、カホは肯いて、「私は宮田忠の代りに来たの。忠は心臓の発作で、生きるか死ぬかってところなんだよ」

「それで?」

「病院に金がかかるんでね。あんたの所は金持だろ? 忠に嘘をつかせたんだから、少しは礼金を払ってくれてもいいんじゃない?」

「恐喝は犯罪よ。分ってるんでしょうね」

「そりゃあね。でも、女の子をレイプするのに比べりゃ、どうってことないだろ。それ

に、私は捕まったって失うものはない。でも、あんたの所は……」

「いいわ」

と、女は遮って、「払うわよ。でも、これきりよ」

「分ってるわ」

女がバッグから封筒を取り出して、

「百万、入ってるわ」

と、差し出した。

「中を見せてもらうよ」

「どうぞ」

カホは、女の方に背を向けて、街灯の明りの下へ行くと、封筒を開けた。

女が、バッグからナイフを取り出して、カホの背中へと――。

「やめるんだ！」

と、私は言った。

同時に、ライトが辺りを昼間のように明るく照らし出した。

女がハッとして顔を隠した。

「むだですよ」

と、私は歩み出て、「河田さん。――奥さん、ナイフを捨てて下さい」

河田弁護士の妻は、放心したように、ナイフを足下に落とした。

「宇野さん……。主人は……どうかしてたんです」

と、絞り出すように言った。

私はため息をついて言った。

「安原なつきを呼び出して、レイプした。なつきは、逆らえなかったでしょう。兄のことを考えると、弁護士を怒らせたくなかった……」

「まさか……あの子が死ぬとは思わなかったんです！」

「真実が知れるのを恐れて、宮田を面会に行かせて、『妹は宇野にやられて自殺した』と告げさせたんですね」

と、夕子が言った。「宮田が、言われた通りにしないと刑務所に行かされると言っていたので、もしかしたら、って思ったんです。でも、どうして宇野さんを選んだんですか？」

「そんなことをしそうもない人だったから。主人がまず思い付いたのが、宇野さんだったんです」

「それにしても……」

と、私は言った。「罪なことをしましたね。安原は、何も関係ないウエイトレスを撃ってしまった」

「怖かったんです。主人も、後で自分のしたことに愕然として……。誰か犯人を仕立てないと不安だったんです」

「ゆっくりお話を伺いましょう。ご主人はお宅ですか」

「いえ……」

公園の外で、車の急発進する音がした。

「原田！　見て来い！」

と、私は言った。

原田は公園から走り出たが――。

少し離れた所で、車が激しくぶつかる音がした。

「あなた！」

夫人が、その場にしゃがみ込んでしまった……。


一月一日が明けようとしていた。

「――とんでもない年越しだったな」

と、私は言った。

「でも、あの皆川朋子ちゃんも、宮田も、命は取り止めて、良かったじゃないの」

「そうだな。――安原なつきと、河田さんは……」

「奥さんが、カホさんを刺さなくて良かったわ」

「全くだ」

自ら車を立木へ衝突させて死んだ河田。——車が炎上し、それを呆然と眺めていた夫人の姿は目に焼きついていた。

私たちは、まだほの白いだけの空の下、皆川朋子の入院している病院へとやって来ていた。

朋子が意識を取り戻しているか、確かめたかった。それを知らないと、年が明けない気がしたのだ。

「——あら、こんな時間に」

と、看護師が私たちを見て、「あけましておめでとう、ですね」

「あの娘さんは寝てますか？」

「たぶん……。もし眠っていたら——」

「起こさずに失礼します」

と、私は言って、夕子と二人、病室へ向ったが、

「お見舞の人が夜中に」

と、看護師が声をかけて来た。「もしかしたら、まだいるかもしれません」

「はあ……」

私たちは、そっと病室へ入って行った。

「——ね、あれ……」

朋子のベッドのそばで、椅子にかけているのは、何と安原だった！

眠っているようだ。

私がそばへ行って、肩に手を置くと、フッと起きて、

「——宇野さんか」

と、安原は言った。「考え違いをしていて、ごめん」

「銃は？」

「ここに……」

と、安原は拳銃を取り出して、「ここじゃ迷惑かな。自分の頭を撃ち抜いたら」

「よせ！」

私は拳銃を取り上げた。

「なつきの奴、俺のケータイにメールして来てたんだ。読むのが遅れてさ。——その子を殺すところだった」

安原はじっと朋子の寝顔を見つめて、「ここで見てる内に、なつきに見えて来てさ。あの弁護士を殺しても、なつきは戻って来ないしな」

安原は涙を手の甲で拭うと、「宇野さん、この子のこと、よろしく頼むよ」

「ああ。大丈夫だ。約束する」

と、私は言った。

——パトカーが安原を乗せて走り去るのを見送って、私と夕子は白く息を吐きながら、

「やれやれ。——やっと年が明けたって気がするよ」

「そうね」

夕子は肯いて、「今年一年も、事件に駆け回ることになるかしらね」

「勘弁してくれ！」

と、私は声を上げた。

頭上に、青空が広がり始めていた。

幽霊終着駅（ターミナル）

1　忘れもの

また、ここにもいた……。

「もしもし、終点ですよ」

と、大橋は、口を半ば開けて寝入っている男の肩をつかんで揺さぶった。

これぐらいぐっすり眠っていると、ちょっと肩を叩いたぐらいでは起きないのだ。

案の定、目を開けたものの、

「もう沢山だ……。酔うといけねえから……」

と、モゴモゴ言っている。

「ほら、起きて！　終点です！」

と、もっと力を入れて揺さぶってやると、さすがに、「ウーン」と唸って、

「ここ……どこの駅？」

と、トロンとした目で、空っぽ（から）の車両の中を見回した。

「終点です。降りて下さい」

と、大橋が言うと、初めてキョトンとして、

「え？　いけね！　終点まで来ちゃったの？　どうして起こしてくれねえんだよ」

「お客さんがどこで降りるかなんて分りませんよ」

「しょうがねえ……。折り返しの電車かい、これ？」

「残念ですが、これ、終電です」

「え？　じゃ……どうやって帰りゃいいんだ俺？」

「駅前にタクシーがいますよ。お客さんみたいな人を待ってね」

「タクシー？　そんな金……あったかな……」

それでも、文句を言える立場でないことは分っているらしく、フラフラとホームへ出て行った。

「やれやれ……」

この駅の駅員、大橋順二（じゅんじ）は、ため息をついた。終電が着くのは午前〇時半。もう春だとはいっても、都心からはかなり離れたこの辺りは寒い。

「さて、と……」

乗り過した客はもういないようだったが、忘れ物はまだある。すると、

「――今晩は」

と、声がした。

「やあ、アワさんか」

くたびれたコートをはおった男が、ホームに立っていた。もういい年齢(とし)だと思うが、よく分らない。

「いいですかね、いつもの……」

「ああ、何冊かのっかってるだろ、持ってっていいよ」

「ありがとうございます！」

その男は、車両の中へ入って来ると、棚の上に放り出された雑誌や新聞をせっせと集めて、大きな布袋に入れ始めた。

ホームレスなのかどうか、大橋もよく知らないが、こうしてときどき終電車の着くころにやって来て、乗客が置いて行った週刊誌などを持って行く。

それを何十円かで売るのである。大体発売されたばかりなので、安く買うサラリーマンがいるらしい。

もちろん、本当はこんなことに手を貸してはいけないのだろうが、別に誰も損をするわけでもないし……。

「――大橋さん」

「何だい？」

「棚の奥の方に……、風呂敷包みが」

伸び上ってみると、確かに、何か丸い物をくるんだような風呂敷包みが見える。

「忘れ物か、わざと置いてったのか……。しょうがないな」

大橋は、靴を脱いでシートに上ると、その包みをつかんだ。

「おっと……」

ちょっとバランスを崩して、大橋はシートから落ちそうになった。包みを放り出して、何とか転倒せずにすんだ。

その風呂敷包みは床を転って行って、向いの座席にぶつかって止った。その拍子に包みが解けて、中から転り出したのは——。

人間の頭だった。

数秒の後、大橋と「アワさん」の叫び声が、人気のないホームに響き渡った……。

2　ホラー

「人騒がせだな！」

と、私は言った。

「すみません」

と、大橋という駅員は頭をかいて、「でも、てっきり本物だとばっかり……」

「まあ……よくできてるな、確かに」

こういう技術が発達していることは知っている。首を切られた人間の頭部、本物と思っても仕方ない。

「腰を抜かしましたよ、そのときは」

と、大橋が苦笑した。

駅の事務室のテーブルの上に、その「頭」は置かれていた。

事情を知らずに入って来た駅員は、みんな仰天して逃げ出そうとする。

「どういう仕事なのかな」

と、私が言うと、

「そりゃあ、映画かTVでしょ。今はこういうのって、本当にリアルね」

感心しているのは永井夕子。

私、宇野喬一は警視庁の捜査一課の警部である。女子大生の恋人、夕子と、この朝に待ち合せてドライブに行くことになっていた。

休みの日だというのに、わざわざ早起きして出かけた車へ、

「人の生首が電車の中に」

という連絡が入って来たのだ。

今日、たまたま車で郊外へ向っていたのをお節介な誰かが知っていて、

「ちょうど途中でしょ」

と言って来たというわけだ。

「――刃物でスパッと切られたって切り口ね」

と、夕子は面白そうに見ている。

こんな物を面白がる夕子を、大橋はふしぎそうに見ていた。

「ともかく」

と、私は言った。「本物じゃないと分ったんだから、これはただの忘れ物だろ」

「まあ、そういうことになります」

「じゃ、そういう扱いにしておいてくれ。こっちは出かける途中なんだ」

「はあ、でもこのまま置いといては……」

「こんな物、誰も捨てて行かないわよ」

と、夕子が言った。「きっと、失くしたことに気が付いて、あわててるわ、今ごろ」

正にそのタイミングで、

「おい、大橋」

と、呼ぶ声がして、「ゆうべ、人の首の忘れものがなかったかって、電話があったぞ」

「良かった！　じゃ――」

「今すぐ取りに来るそうだ。相当あわててた」

仕方ない、ちゃんと持主の手に戻るまで見届けよう。

夕子は腕組みをして、

「若い女性ね。三十かそこら？　結構美人じゃない？」

「首だけになって、美人かどうかは考えられないな」

と、私は言った。

「あら、現職の刑事なんだから、ちゃんと見とかないと」

髪の毛は短めで、かなり乱れている。――確かに、私も仕事柄、本物の生首に出くわすこともないではない。

「これは日本刀で打ち首になったって感じかしら？　時代劇？　でも、それにしちゃ、ヘアスタイルが……」

と、夕子は本気で考え込んでいる。

「大橋さん、どうも……」

と、顔を出したのは、かなりくたびれた感じの男で、

「やあ、アワさんか」

と、大橋は言った。「作り物だったよ、これ」

「わっ！」

と、男は逃げ出しそうにして、「びっくりしますよね！」

「二人で見付けたんです」

と、大橋が私たちにゆうべの状況を説明した。

「気絶しそうになって、今まで寝てました」

と、アワさんという男は言って、「まあ、それにしても……」

と、こわごわそれを眺める。

そこへ、ドアが開いて、男が息を切らしながら飛び込んで来た。

小太りな三十代ぐらいの男で、机の上の首を見ると、

「良かった！」

と、体中で息をついて、「失くしたりしたら……こっちのクビが飛びます！」

「冗談言ってる場合じゃないですよ」

と、大橋が苦笑して、「見付けてびっくりしたんだから！」

「ありがとうございます！」

と、男は頭を下げて「〈Kプロ〉の峰山（みねやま）といいます」

「ここへ、名前と連絡先を」

と、大橋がノートを持って来る。

「じゃ、私はこれで……」

と、アワさんと呼ばれた男は会釈して出て行った。

「今の人は……」

と、夕子が言った。

「置き捨てにされた週刊誌とかを集めて、安く売ってるんです。まあ、本当はいけないんでしょうが、目をつぶってるんです。何だか可哀そうでね」

「アワさんって……」

「ああ、本当の名前は確か……馬込とかいったかな。初めて会ったとき、泡ふいて倒れてましてね。発作だったようですが、それで、アワさんと」

その間に、峰山という男は、ノートに記入して、

「じゃ、いただいてっていいんですね」

「でも、何かにくるまないと、ゆうべの風呂敷は踏んづけて破れちゃったよ」

「そうですか。――何か持って来りゃ良かった」

すると夕子が、

「車に、余分な紙袋があるわ」

と言い出した。

「おい……」

余計なことは言わない方が、と思ったのは遅かった。

「どうもすみません」

と、峰山は何度もくり返した。

「いいのよ。どうせ通り道だもの。ねえ?」

と、夕子に言われれば、

「ああ、大した手間じゃないよ」

と、私も言わざるを得ない。

——車は郊外の森の中の道を辿(たど)っていた。

峰山がその首を持って行くのが、ちょうど我々の行く辺りで、まあ多少は回り道になるが、夕子が、

「じゃ、一緒に乗って行きなさいよ」

と言った、というわけだ。

しかし、

「途中で誰かに見られたら、また騒ぎになるから、その首をしまっとけ」

と、私は言った。

手さげの紙袋に首をしまって、峰山は車の後部座席に座っていた。

「――何の収録なの？」

と、助手席に座った夕子が訊く。

「ホラードラマです」

と、峰山は言った。「今日はこの首がないと撮影できないんで」

「それなのに電車に忘れたのか？」

「ええ、それが……。ゆうべ、やっとこれを仕上げて帰りかけたら、大学のときの友人に出会って……。一杯だけ、と思って付合ったら、終電ぎりぎりまで飲んじゃったんです。やっと終電に間に合って、ホッとしたら、ぐっすり寝ちゃって……」

「でも、よくできてるわね」

と、夕子が言った。「その人、というか、その元になってるのは女優さんよね？　見たことあるような気がする」

「ええ、邦光綾子さんです。そう売れっ子ってわけじゃないですが、どんな役でもちゃんとこなしてくれるので、スタッフには人気があります」

確かに、TVドラマなど見ていると、名前は分らなくても、見知った顔の役者を見ることがある。

脇役で、目立たないかもしれないが、そういう役者も大切なのだろう。

峰山のケータイが鳴った。

「――はい、峰山です！　――ええ、ちゃんとできてます。我ながらいい仕上りに。――今、そっちへ向っています。あと二十分ぐらいで。――よろしく」

峰山はホッと息をついて、「おかげで助かりました。今日の監督はうるさいんですよ。置き忘れたなんて言ったら、二度と〈Kプロ〉に仕事が来ません」

〈Kプロ〉というのは、プロダクションといっても、ああいう本物そっくりの死体や、怪獣などを、特殊なゴムで作るのが仕事なのだという。

「――これ、綾子さんが気に入ってくれるといいんだがな」

自分の首を？　私には理解できない！

「――あ、そこを入ったとこです」

と、峰山が言った。

道の脇に、〈玉風館〉という立札が立ち、矢印が細いわき道を指している。

そこを少し入ると、大分古びた和風の旅館が見えて来た。

車が近付くと、正面玄関から飛び出して来たのは、ジーンズの若い男で、車の中の峰山を見付けて手を振った。

「ありがとうございました！」

車が停ると、峰山は紙袋を手に降りて、

「どうも！　待ちました？」

「いや、まだ村岡さんが来てないから、始められないんだ。でも、監督が首の出来を見たがってるから」

「これです」

と、峰山は袋を渡して、「こちらの方に送っていただいたんです。助かりました」

「それはどうも」

と、男は私たちの方へ、「立石といいます。TVドラマのロケに来ていて。よろしかったら、ひと休みして行かれませんか」

私が「行く所があるので」と言うより早く夕子が、

「じゃ、ぜひ！」

と言いながら、もう車から降りていた。

やれやれ……。夕子と一緒に出かけると、たいていこういうことになる。

まあ、首が本物でないのだから、事件は起らないだろうが……。

半ば祈るような気持で、私は車を駐車スペースに停めた。

3　火花

本物がそこにいた。

スーツを着た邦光綾子は、テーブルに置かれた首を見て、目を見開くと、

「凄い！」

と言った。「生々しいわね！」

「いかがでしょう、出来ばえは」

と、峰山が恐る恐る言った。

「よくできてるわ！　ねえ、大木さん」

「ああ、上出来だ」

と肯いたのは、ジャンパーを着て、ベレー帽をかぶった、ひと昔前の芸術家風の男だった。

峰山はホッとした様子で、

「気に入っていただけて幸いです」

と言った。「また〈Kプロ〉をよろしくお願いします」

「うん、頼むよ」

と言って、ベレー帽の男は部屋の隅にいた私たちの方を見ると、「こちらは？」

「この人たちのおかげなんです」

峰山が、ゆうべからのいきさつを話すと、その場は大笑いになった。

「しかし、もし紛失してたら、大変なことになるところだ。ともかく良かった」

「それにしても……村岡はどうしたんだ？」

と、立石が言うと、

と、ベレー帽の男が苦々しげに言った。

大木蔵人（くろうど）という名前の監督なのだそうだが私は全く聞いたことがなかった。五十五、六というところか。スタイルは「芸術家」風だが、中身の方はどうなのか……。

この〈玉風館〉という旅館に泊り込んでの撮影ということだった。

ＡＤだという立石は、

「連絡してるんですが……」

と、ケータイを手にして言った。「こっちへ向ってるのは確かですけど」

「もう二時間以上待ってるんだぞ」

と、大木が言った。「困ったもんだ、全く！」

「村岡さんの出ないカットから先に撮ったら？」

と、邦光綾子が言った。

「そうすると、機嫌が悪くなるんですよ、村岡さん」

と、立石が言った。

「それだと困るわね」

「スターのわがままにも困ったもんだ」

と、大木が言った。

それを聞いていた夕子が、

「それって、村岡達治のことですか？　ＴＶの刑事物で主役をやってる」

「ええ、そうです」

と言ってから、立石は、「あの、このことは黙ってて下さいね！」

と、あわてて付け加えた。

「ご心配なく、私たち週刊誌の記者じゃありませんから」

と、夕子は微笑んだ。

私も村岡達治のことはＴＶで見て知っていた。刑事ドラマで、こわもての刑事役をよく演っている。

しかし、「刑事」が遅刻常習では捜査になるまい。

「僕らはこれで」

と、お茶を飲んでいた私が腰を上げようとすると、旅館の玄関の方で、車の音がした。

「来た！」

立石が駆け出して行く。

旅館の玄関を、サングラスをかけた白いスーツの男が上って来た。

「お待ちしてました」

と、立石が言うと、

「こんなに早く始めなくたっていいだろう」

サングラスを外すと、ＴＶで見慣れた顔が現われた。大木監督も、

「ご苦労様です」

と、打って変って低姿勢。

スターを怒らせると、監督の方のクビが危いのかもしれない。

すると——村岡の後から、

「待ってよ！　置いてかないで」

と、玄関へやって来たのは、これも大きなサングラスの女性で、

「一緒に来られたんですか」

と、立石が言った。

「ね、私のバッグが車にあるの。持って来て」

「分りました」

「雨が降っても濡れない所へ車を入れとけ」

村岡が車のキーを立石へ投げた。「傷つけるなよ、ベンツだ」

一緒に来た女性も、サングラスを取ると見た顔で、

「麻田(あさだ)さん、どうも」

と、大木が言った。

「私の出番は夕方でしょ？　でも、ついでだから、村岡さんの車に乗って来ちゃった」

夕子が私にそっと、

「麻田セツ子だわ」

と、言った。

「ああ、そういう名だったな」

大木が、

「じゃ早速、この外の河原で。もう準備はできてます」

と言ったが、村岡は、

「ちょっと休ませろよ。それに朝が早かったんで、腹が減ってるんだ。何か食ってからにしよう」

と言って、ロビーのソファに座り込んでしまった。

大木は渋い顔をしたが、スターには逆らえないとみえて、

「立石、みんなに昼飯を先にすると言って来い」

と言いつけた。

「キャッ！」

と、麻田セツ子がロビーの奥の部屋を覗いて声を上げた。「――ああ、びっくりし

た！」

　あの首を見たのだ。

　私たちは、もう失礼しようとしていたのだが、大木が、

「お礼といっては何ですが、良かったら、ランチでも。一応ここの特製の弁当ですから」

　と言ってくれて、また夕子が即座に、

「じゃ、お言葉に甘えて」

　と答えたのだった。

「ご苦労様」

　と、邦光綾子がやって来て、村岡に言った。

「やあ。――殺される役か」

「首を切られてね、そこに首があるわ」

「よくできてる！　びっくりしたわ、本当に」

　と、麻田セツ子が言った。

「そうでしょ？　いっそ本物なら良かったかしら」

「でも、いやだわ、生首なんて。それにあれ、あなたの若いころに似せたんじゃない？」

　麻田セツ子の言い方にはとげがあった。

　夕子が私の耳に口を寄せて、

「邦光綾子は村岡の元の奥さん」

と囁いた。

そういうことか……。

麻田セツ子は、これ見よがしに、村岡のそばにくっついて座ると、もたれかかった。

「おい……。また何かあったらいやだぜ」

と、私は小声で言った。

大木は、スターに気をつかいたくないのか、私たちの方へやって来て、話しかけた。

「ところで、お二人は……」

「恋人同士ですの」

と、夕子はアッサリと言った。「私、大学生で、この人は独身。不倫じゃないんです」

「そう聞いて安心しましたよ」

と、大木は笑って、「良かったら、ロケを見物して行きませんか。この旅館もなかなかいい所ですよ」

「面白そうですね。どうせ行く先が決ってるわけじゃないんで。ね？」

夕子はすっかりその気になっている。

「じゃ、そうするか……」

私はそう言うしかなかった。

4　夜歩く

「やれやれ……」

一応温泉があるというので、この〈玉風館〉の大浴場に浸って、私は出たところのソファで涼んでいた。

夕子もその内出て来るだろう。

「――失礼」

と、声をかけて来たのは、浴衣に着替えた邦光綾子だった。「お邪魔でしょうか」

「いや、少しも」

と、私は言った。

向いのソファに身を沈めて、

「宇野さん、でしたかしら」

「そうです」

「ご迷惑では？　こんな所にお引き止めして」

「いや、なかなか面白いですよ」

と、私は言った。「しかし、忙しいですね。暗くなっても、まだ撮影してるので、びっくりしました」

「小雨が降り出したので止めましたけど、降らなければ、もっと遅くまで撮っていたと思いますわ」

「そういうものですか」

「何しろ予算が限られていますから。私たち役者は、出番のないときは休めますけど、スタッフは大変です。今夜だって、明日のための準備がありますから」

「なるほど」

「宇野さんって――刑事さんなんですね。本物の」

「夕子が言いましたか」

と、私は言った。「まあ、一応は」

「じゃ、村岡さんの刑事役をご覧になって、どう思われました？」

「そうですね……。まあ、ドラマですからね」

「でも、見ていて腹が立つとか……」

「それほどのことは……。まあ、あれほど偉そうにはしていませんがね」

綾子はちょっと笑って、

「自分がドラマを支えてると思い込んでいるので」

と言った。「以前はあんな人じゃなかったんですが」

「そうですか」

「ご存知でしょ？　私が村岡と結婚していたこと」

「夕子から聞きました」

「以前は、無器用だけど、真剣に役に取り組む人だったんです。私と同じ劇団にいて、どっちかというと、私が村岡を食べさせていたんです。でも、ＴＶのプロデューサーが、村岡のいかつい感じを、『刑事にいい』と言って、二時間もののサスペンスで採用したら、好評で……」

「そうでしたか」

「売れ始めたら、すぐ劇団を辞めて、ほとんど家に帰って来なくなり……。結局別れることに」

「今はあの麻田セツ子さんと？」

「そのようですね。私は知りません。村岡がどうしてるかなんて、気にしてる余裕はないんです。子供がいるので」

「それは知りませんでした」

「村岡と別れてから、妊娠していることに気付いて。――今、三つになります。女の子で、母が見てくれています」

綾子は淡々と言った。

――ロケは、この旅館から見下ろす河原で行われていた。

川はそう大きくなくて、流れもわずかなので、広い河原で、次から次へと撮っていた。

「あの首はよくできてますね」

と、綾子が微笑んで、「セツ子さんじゃないけど、まだ生活に疲れていない私の顔でしたわ」

ドラマの中では、綾子は双子の姉妹を一人で演じているので、河原で「自分の首」を持って麻田セツ子の前に現われるという場面になっていた。

すると、〈女湯〉の方から夕子がほてった顔で出て来た。

「お話が弾(はず)んでた?」

と、私の隣に座る。

そこへ、村岡がセツ子と一緒にやって来た。

「やあ」

と、村岡が言った。「あんた、本職の刑事だって? 有能かい?」

「あなた、失礼よ」

と、セツ子は村岡と腕を組んで、「ね、綾子さん、あなたのお芝居、ちょっとやり過ぎよ。一人で目立とうとしないでちょうだい。こっちがやりにくくて仕方ないわ」

私は専門家ではないが、見物している限りでは、綾子の方が演技力ではるかに優(まさ)っていた。セツ子にはそれが面白くないのだろう。

「気を付けます」

と、綾子はごく普通に返した。

「さ、家族風呂に二人で入りましょ」

と、セツ子が村岡を促して行ってしまうと、

「明日も河原で撮影ですか？」

と、夕子が訊いた。

「だと思います。室内の場面もありますけど」

と言って、綾子は立ち上って、「じゃ、私は大浴場に入って来ますわ」

と、〈女湯〉ののれんを分けて入って行った。

「私たちも部屋に行く？」

と、夕子が言って、私たちは大浴場のある地階から一階へと上って行った。

「参ったな……」

ロビーで、ＡＤの立石が、

と、呟きながら、ウロウロしている。

「どうしたんですか？」

と、夕子が訊くと、

「あ、どうも。——あの、例の首を見ませんでしたか？」

「あの作り物の？　なくなったんですか？」

「いや……。機材と一緒に、確かに持って来たと思うんですが……」

立石は困り果てている様子だった。

「でも、あんなもの、誰も持って行かないでしょ」

「ええ。もしかして、河原に置いて来たのかな」

と、立石は首を振って、「今からじゃ、捜しに行くったって、真暗だものな」

「朝になってから捜せばいい」

と、私は言った。「君たちも少し休まないと、大変だろ」

「まあ、徹夜が当り前の世界ですから」

と、立石は言って、それでも大欠伸（おおあくび）をして笑った。「宇野さんは刑事さんだそうで。知らなくて失礼しました」

「今は仕事中じゃないからね」

と、私は言った。「そういえば、あれを作った——峰山といったっけ？　彼は泊ってるのか？」

「はい。撮ってるときに、あれが傷ついたりすることがあるので」

「じゃ、彼が持ってるんじゃないか？」

「訊こうと思ったんですが、酔いつぶれてました。部屋にもなかったし」

立石は会釈して、行ってしまった。

「――誰かが盗んだのかしら」

と、夕子が言った。

「あんなもの、誰が？」

作り物とはいえ、本物そっくりの生首を抱えて夜道を歩いている人間の姿を想像すると、ちょっとぞっとした。

「分らないわよ。世の中には、変った人もいるから」

夕子はそう言って、私の腕を取ると、「でも、殺人事件は起きてないでしょ。今のところは」

「起きる前に寝よう」

と、私は言った……。


明け方早くに目が覚めた。

二十代なら、昼ごろまで平気で眠っていただろうが、四十を過ぎると……。

それはともかく、隣の布団を見ると、夕子の姿がない。

どこへ行ったのか。――もしかすると、朝風呂ということか、と思い付いた。

起き出して、私もひと風呂と部屋を出る。

ロビーを通りかかると、夕子が浴衣でケータイをいじっている。

「何だ、風呂じゃなかったのか」

と、私が言うと、

「残念でした。私、もう入って来た」

と、夕子はケータイから目を離さずに言った。

「どうしたんだ？　急な用事でも？」

「ううん。この辺のお天気を見てるの」

「天気？」

私は玄関の方へ目をやって、「もう降ってないじゃないか。晴れるんじゃないか？」

「たぶんね」

「それじゃ――」

「ゆうべどれくらい降ったのか、見てるの」

と、夕子は言った。「この辺は大したことない。でも、奥の山間部は夜の間に、ずいぶん降ったらしいわよ」

「そうか。それが何か？」

「別に」

夕子は首を振って、「お風呂、入ってらっしゃいよ。空いてていいわよ」

と言うと、部屋の方へ戻って行った。

「雨か……」

私は大分明るくなって来た表の方へ目をやって、「降らない雨が問題なのか？」

夕子の考えることは分らない。

肩をすくめて、私は大浴場へと階段を下りて行った。

5　首泥棒

「おはようございます！」

食堂へ入って行くと、驚いたことに、ＡＤの立石を初め、昨日河原で見かけたスタッフが、揃って朝食をとっていた。

こちらが早くて、一番のりかと思われたが、そうではなかったのだ。

夕子と二人、テーブルにつくと、もう立石は食べ終って、立って来た。

「ゆうべはお騒がせしました」

「あの首は見付かったのかい？」

「まだです。でも主なカットは撮り終えてるんで、万一失くなっても……。もちろん、これから河原で準備にかかるので、捜してみます」

たぶん、せいぜい二、三時間しか寝ていないだろうが、張り切って小走りに出て行く。

「若いんだな」

と、私は感心した。

「あなただって、結構若いわよ」

「その『結構』が気になるね」

二人で和風の朝食を食べる。

監督の大木も朝食をとっていたが、さすがにＡＤたちのようにせかせかと食べてはいなかった。

それでも、私たちより先に食べ終えると、こちらのテーブルへやって来て、

「おはようございます」

と言った。「昨日はお引き止めしてしまって、ご迷惑じゃなかったですか」

「いや、ちっとも。楽しませてもらいましたよ」

と、私が言うと、夕子が、

「今日も河原での撮影ですか？」

と訊いた。

「ええ。幸い、よく晴れましたしね」

と、大木は言った。「今日は、女優二人が対決するシーンです。良かったら見て行って下さい」

私としては、今日は本来行くはずだった場所へ向おうと思っていたのだが、夕子が先に、

「ええ、ぜひ拝見したいわ」

と言ったので、何とも言えなくなってしまった。

「おい、今日もずっと——」

と、私が言いかけると、夕子は、

「ちょっと待ってて」

と、パッと立ち上って、食堂を出て行った大木を追いかけて行ったのである。

「——どうしたんだ？」

戻って来た夕子に訊くと、

「ちょっとね……。撮影がスムーズに行くといいですね、って言ったの」

「それを言いに追いかけて行ったのかい？」

「そう。大切なことでしょ？」

それはそうだが……。夕子には、何か他に言いたいことがあったのだ。付合っている私には分っていた。

ただ、それが何なのかは分らなかったが……。

準備に手間取るだろうと思って、一時間ほどして河原へ行ってみると、もう撮影は始まっていた。

村岡は今出番ではないようで、折りたたみの椅子を置いて座っていた。

河原では、麻田セツ子と邦光綾子が、激しいセリフのやりとりをしていた。

「――もう一回、テスト行こう」

と、大木が言った。

「ちょっと休ませて」

と、セツ子が言った。「喉がかれちゃうわよ！」

「じゃ、十分休憩だ」

セツ子がスタッフからペットボトルのお茶をもらって飲んでいる。一方の綾子は、ただじっと立って、セリフを呟いているようだ。

「――やあ、どうも」

と、立石がやって来る。

「見付かったかい、例のものは？」

「ええ。でも、妙なんです。あんな所に忘れるわけないんですが」

「どこにあったんですか？」

と、夕子が訊く。

「旅館の裏庭です。茂みの中に隠すように置いてあるのを、朝早く仲居さんが見付けて」

と、立石はちょっと笑って、「腰を抜かしたそうですよ」

「見付かって良かった」

「ええ、金がかかってますからね」

と、行きかけた立石へ、夕子が、

「川の水が」

と言った。

「え？」

「水が増えてますね」

確かに、流れの水の量が増えていた。

「ええ、昨日の雨で」

「色も違いますよ」

昨日は澄んだ流れだったが、今見ると、茶色く濁っていた。

「カメラに映り込まないようにしてます。同じ日のシーンなので、色が変っちゃおかしいですからね」

立石が行ってしまうと、

「水の色がどうかしたのか？」

と、私は夕子に訊いたが、

「――ちょっとね」

としか言わなかった……。


撮影ははかどらなかった。

「――カット！」

と、大木が言った。「もう一度、初めから！」

「もう！　いい加減にして！」

と叫んだのは麻田セツ子だった。「いやよ、こんなの！」

スタッフは黙っていた。

セツ子が言っていることが「逆さま」だと分っていたからである。

綾子はセリフを完璧に憶えていて、演技も上手い。

セツ子の役と、綾子の役が激しくやり合うシーン。

しかし、セツ子の方は、誰の目にも演技力が劣っていて、しかもセリフを途中で間違えたり忘れたりをくり返していたのだ。

綾子は、文句一つ言わず、淡々と同じシーンをくり返すのだが、セツ子は明らかに対抗意識を燃やしていても、実力がついて行かないのである。

「こりゃ、終らないな」

と、見物している私は言った。

「大丈夫かしら」

と、夕子は他の方へ目をやっている。

「何を心配してるんだ？」

夕子が返事をする前に、セツ子が突然、大木に向って大股に歩いて行くと、

「監督！」

と、甲高い声で言った。

「何だ？　早く撮らないと、後がつかえてる」

「だからよ！　あの女を代えて！」

と、綾子を指さした。

「何だって？」

「あの女のせいで、セリフが出て来ないの！　相性が悪いのよ。あの役、他の女優にやらせて！」

「待てよ。今さらそんなことを言われても――」

みんな、啞然として、無茶苦茶を言うセツ子を眺めている。

「代えてくれないならいいわ。私が降りる！」

「なあ、落ちついて」

「分ってる？　私が降りるってことは、村岡さんもこのドラマに出ないってことよ！」

しばらく沈黙があった。

セツ子は、椅子にかけていた村岡の方へタタッと駆けて行くと、

「ね？　そうでしょ？」

と、甘えるように言って、村岡の膝に座ってキスした。「私が出ないなら、あなたも出ない。ね、そう言ってやってよ」

さすがに村岡もすぐには言葉が出ないようだった。しかし、セツ子に首筋にキスされたりしていると、

「ああ……。まあ、そういうことだ」

と、ポツリと言ったのである。

「あなた……」

綾子は、じっとかつての夫を見ていたが、やがて大木の方へ、

「――それで済むなら、監督、私を降ろして下さい」

と言った。

「いや、しかし……」

「村岡さんが出ないと、企画そのものが流れますよ。それに、監督も交替させられるかもしれません。――このドラマを完成させて下さい」

「綾子君……」

大木はしばしためらっていた。いくらスターでも、こんなわがままは許されない。分ってはいるのだ。しかし……。

「ね、そうして下さい」

と、綾子が言うと、大木はため息をついて、

「それじゃあ……」

と、口を開いた。

そのときだった。

「ふざけるな！」

という怒号が河原に響いた。「自分が下手なのを棚に上げて、何を言ってるんだ！」

どこから出て来たのか、河原に現われた男を見て、私はびっくりした。

それはあの駅で会った、アワさんだったのだ！

「何よ、この小ぎたない奴！」

と、セツ子が言うのと同時に、綾子が目をみはって、

「お父さん！」

と言った。

「綾子、役を降りるな！　こんな大根役者のことなんか、ぶっ飛ばしてやれ！」

「お父さん……。こんな所で……。生きてたの？」

「君のお父さん？」

と、私が思わず訊くと、

「ええ。邦光綾子は芸名で、本名は馬込アヤといいます」

と、綾子は言った。「父は——もう十年以上前に行方不明に。てっきり死んだとばかり……」

「すまん！　俺が悪かった」

「でも——どうしてここに？」

「これだ」

アワさんは、機材の上にのせてあった、あの首を両手で取り上げると、「一目見て分った、お前の顔だと。それで、ロケ先を調べてやって来たんだ」

そう言って、あの首をしっかり抱きしめた。

「——何の話よ？」

と、セツ子が苛々と、「他人の出る幕じゃないでしょ！」

そのとき、夕子が、

「危い！」

と叫んだ。「みんな河原から逃げて！」

「夕子――」

「川の水が増えている！　早く！」

それは、目を疑う光景だった。

茶色い濁流が、一気に河原へと広がって来たのだ。

「逃げろ！」

と、大木が怒鳴った。「流されるぞ！」

流れは見る見る水かさを増して、カメラや機材を呑み込んで行く。

私は夕子の手をつかんで、河原から土手へと駆け上った。

「カメラが――」

立石が、膝まで来た流れに足を取られながら、何とかカメラをつかもうとしたが、無理だった。

「馬鹿！　早く土手へ上れ！」

と、大木が怒鳴る。

セツ子は村岡に引張られて逃げた。そして綾子も――。

「――お父さん！」

振り向いた綾子は、アワさんがあの首を抱いて、流されるのを見て叫んだ。「そんなもの捨てて！　お父さん！」

しかし、アワさんは首を抱いて放さなかった。茶色い水がアワさんを呑み込んで流れて行く。

「お父さん！」

綾子の叫び声は激しい水音にかき消されてしまった。

「――こんなことになるなんて」

と、夕子が息をついて、「山の方で、大量の雨が降ったから、いずれ水かさが増すのは分ってたけど、こんなに突然に……」

「お父さん……」

茶色い濁流は、土手ぎりぎりまで増水して激しく流れて行った。

綾子がペタッと土手の上に力なく座り込んだ。

「この駅……なんですね」

と、綾子が言った。

「やあ、どうも」

ホームにいたのは、駅員の大橋だった。

私と夕子は、終電に乗って、綾子と一緒にこの終着駅までやって来た。

「事情は聞きました」

と、大橋が言った。「あのときはびっくりしました」

「私の首が転り出たんですね」

と、綾子が言った。「父がそこに居合せたのは運命ですね、きっと」

どうしても、ここへ来たいと綾子に頼まれて、夕子と共にやって来た。

アワさん——綾子の父は、流されたまま見付かっていない。あの首もだ。

「ここへ来れば、父に会えるかと思って……」

と、人気の失くなったホームを、綾子は見渡した。「——幽霊でもいいわ。出て来てくれれば」

「そうですね」

と、夕子が言った。「ああいう暮しをしてる人は、しぶといですから」

「本当だ」

と、大橋が肯いて、「今日は週刊誌の発売日ですからね、沢山仕入れられるんだけど……」

そこへ、

「集めて回ってもいいですかね?」

と、声がした。

大きな布袋をさげたアワさんが、そこに立っていた。

単行本　二〇二〇年八月　文藝春秋刊

DTP制作　言語社

文春文庫

幽霊終着駅（ゆうれいターミナル）

定価はカバーに
表示してあります

2023年4月10日　第1刷

著　者　赤川次郎（あかがわじろう）

発行者　大沼貴之

発行所　株式会社　文藝春秋

東京都千代田区紀尾井町 3-23　〒102-8008
TEL　03・3265・1211㈹
文藝春秋ホームページ　http://www.bunshun.co.jp

落丁、乱丁本は、お手数ですが小社製作部宛お送り下さい。送料小社負担でお取替致します。

印刷製本・凸版印刷

Printed in Japan
ISBN978-4-16-792024-1

（　）内は解説者。品切の節はご容赦下さい。

赤川次郎クラシックス
幽霊列車
赤川次郎

山間の温泉町へ向う列車から八人の乗客が蒸発。中年警部・宇野は推理マニアの女子大生・永井夕子と謎を追う——。オール讀物推理小説新人賞受賞作を含む記念碑的作品集。（山前　譲）

あ-1-39

赤川次郎クラシックス
幽霊候補生
赤川次郎

〈乗用車・湖へ転落。大学生二人絶望〉と報じる画面に永井夕子の顔が映る。五か月後、宇野警部はある事件を捜査中、件の湖で撮られた写真に、死んだはずの夕子の姿を見つけるが——。

あ-1-41

赤川次郎クラシックス
幽霊愛好会
赤川次郎

夫が月に一度、降霊術の集いで「幽霊」になった先妻に会いに行く……友人の告白に驚く永井夕子と宇野警部。案の定その邸宅で、娘が何者かに刺され死亡するという衝撃の事件が！

あ-1-43

赤川次郎クラシックス
幽霊心理学
赤川次郎

「殺人」も「凶器」も今日だけは忘れるはずだったのに……宇野警部と永井夕子がレストランで食事をしていると、一家皆殺しの容疑者がすぐそばの席に？　名コンビが大活躍する全五編。

あ-1-44

赤川次郎クラシックス
幽霊湖畔
赤川次郎

宇野と夕子が休暇で滞在中の湖畔のホテルで、死体が発見される。その湖の底にはかつての強盗殺人事件で奪われた二億円相当の宝石が？　どこから読んでも楽しめる、好評シリーズ。

あ-1-45

幽霊記念日
赤川次郎

英文学教授の息子の自殺の原因とされた女子大生が、その偲ぶ会の会場となった学園で刺された。学部長選挙がらみの事件で学園中が大混乱に陥った。好評「幽霊」シリーズ第七冊目。

あ-1-16

幽霊散歩道（プロムナード）
赤川次郎

オニ警部宇野と女子大生の夕子がＴＶのエキストラに出演中、殺人事件と首吊り事件が発生。無理心中か、はたまた真犯人はいるのか？　騒然とするスタジオで名コンビの推理が冴える。

あ-1-17

赤川次郎
幽霊劇場

若手女優と間違えられて、人が殺された。彼女の夫の演出家は大女優との恋仲を噂され、大女優は数々の浮き名を流していた。愛憎渦巻く芸能界で、彼女を恨んでいたのは一体誰なのか。

あ-1-18

赤川次郎
幽霊社員

社長夫人殺害嫌疑のＯＬを救えるのは、事件の夜残業していた〝幽霊社員〟だけ——表題作ほか「週休四日の男」「行きずりの人」「我輩は忠実なり」を収録した「幽霊」シリーズ第十弾。

あ-1-19

赤川次郎
幽霊教会

奇跡の少女・亜里沙を教祖とする新興宗教団体内で殺人事件発生。宇野警部と永井夕子の推理が冴える。表題作ほか「わが子可愛や」「人生相談は今日も行く」「父さん、お肩を……」収録。

あ-1-20

赤川次郎
幽霊審査員

あの国民的テレビ番組「赤白歌合戦」で審査員を務めることになった宇野。「何か起る」と夕子が予言した通り、本番の舞台裏で事件が……。「犯罪買います」「哀愁列車」など全七編。

あ-1-42

赤川次郎
幽霊協奏曲

美貌のピアニストと、ヴァイオリニストの男。因縁の二人が舞台で再会し、さらに指揮者が乱入？　ステージの行方は……。「後ろ姿の夜桜」「夕やけ小やけ」など全七編を収録。

あ-1-46

赤川次郎
幽霊解放区

宇野と夕子がレストランで食事をしていると、〝死んだはずの男〟から店に予約の電話が入る。不穏な空気が漂う街の謎とは……。「忘れな草を私に」「悪夢の来た道」など全七編を収録。

あ-1-47

赤川次郎
マリオネットの罠

私はガラスの人形と呼ばれていた——。森の館に幽閉された美少女、都会の空白に起こる連続殺人。複雑に絡み合った人間の欲望を鮮やかに描いた、赤川次郎の処女長篇。　（権田萬治）

あ-1-27

文春文庫　最新刊

少年と犬　馳星周
傷ついた人々に寄り添う一匹の犬。感動の直木賞受賞作

木になった亜沙　今村夏子
無垢で切実な願いが日常を変容させる。今村ワールド炸裂

Seven Stories 星が流れた夜の車窓から　井上荒野　恩田陸　川上弘美　桜木紫乃　三浦しをん　糸井重里　小山薫堂
豪華寝台列車「ななつ星」を舞台に、人気作家が紡ぐ世界

幽霊終着駅（ターミナル）　赤川次郎
終電車の棚に人間の「頭」!?　ある親子の悲しい過去とは

東京、はじまる　門井慶喜
日銀、東京駅…近代日本を「建てた」辰野金吾の一代記！

魔女のいる珈琲店と4分33秒のタイムトラベル　太田紫織
〝時を渡す〟珈琲店店主と少女が奏でる感動ファンタジー

秘める恋、守る愛　髙見澤俊彦
ドイツでの七日間。それぞれに秘密を抱える家族のゆくえ

乱都　天野純希
裏切りと戦乱の坩堝。応仁の乱に始まる《仁義なき戦い》

瞳のなかの幸福　小手鞠るい
傷心の妃斗美の前に、金色の目をした「幸福」が現れて

駒場の七つの迷宮　小森健太朗
80年代の東大駒場キャンパス。〈勧誘の女王〉とは何者か

BKBショートショート小説集 **電話をしてるふり**　バイク川崎バイク
涙、笑い、驚きの展開。極上のショートショート50編！

2050年のメディア　下山進
読売、日経、ヤフー…生き残りをかけるメディアの内幕！

パンダの丸かじり　東海林さだお
無心に笹の葉をかじる姿はなぜ尊い？　人気エッセイ第43弾

座席ナンバー7Aの恐怖　セバスチャン・フィツェック　酒寄進一訳
娘を誘拐した犯人は機内に？　ドイツ発最強ミステリー！

心はすべて数学である〈学藝ライブラリー〉　津田一郎
複雑系研究者が説く抽象化された普遍心＝数学という仮説